U0292872

新时期高校教学管理创新

许轶颖　著

哈尔滨工程大学出版社
Harbin Engineering University Press

内 容 简 介

　　教学工作是高等学校的中心工作,而教学管理工作则是高等教育管理中的重要工作。新时期,教学管理的重要性和作用日益凸显,其与高校改革的进程和成效具有密切关系。本书立足国内,从历史和现实的角度,探讨了新时期教学管理思想和高校教学管理的概念、内涵、发展历程、理论基础等相关问题,并在此基础上,从教学管理模式、教学管理机制,以及高校教学管理信息化方面探讨了新时期高校教学管理创新的思路和对策。

　　本书可供从事高校教学管理工作的相关人士参考使用。

图书在版编目(CIP)数据

　　新时期高校教学管理创新/许轶颖著.—哈尔滨:
哈尔滨工程大学出版社,2023.6
　　ISBN 978-7-5661-3903-0

　　Ⅰ.①新… Ⅱ.①许… Ⅲ.①高等学校-教学管理-研究 Ⅳ.①G647.3

　　中国国家版本馆 CIP 数据核字(2023)第 064445 号

新时期高校教学管理创新
XINSHIQI GAOXIAO JIAOXUE GUANLI CHUANGXIN

选题策划	马佳佳
责任编辑	马佳佳
封面设计	李海波

出版发行	哈尔滨工程大学出版社
社　　址	哈尔滨市南岗区南通大街 145 号
邮政编码	150001
发行电话	0451-82519328
传　　真	0451-82519699
经　　销	新华书店
印　　刷	哈尔滨理想印刷有限公司
开　　本	787 mm×1 092 mm　1/16
印　　张	6.75
字　　数	157 千字
版　　次	2023 年 6 月第 1 版
印　　次	2023 年 6 月第 1 次印刷
定　　价	48.80 元

http://www.hrbeupress.com
E-mail:heupress@hrbeu.edu.cn

前　言

　　教学工作是高等学校的中心工作,而教学管理工作则是高等教育管理中的重要工作。新时期,教学管理的重要性和作用日益凸显,其与高校改革的进程和成效具有密切关系。

　　高等学校的教学管理改革涉及高校工作的各个方面,是一个复杂的系统工程,在当今的时代背景下,要求高校培养的人才必须满足信息化与全球化的需要,而原有的教学管理工作已经无法完全适应素质教育的需要,中共中央、国务院《关于深化教育改革全面推进素质教育的决定》赋予了新时期教学管理的时代特征和新的内涵。因此,高校需要认识到教学管理的繁重性与复杂性特点,结合自身实际情况,积极开展管理创新。

　　本书立足国内,从历史和现实的角度,探讨了新时期教学管理思想和高校教学管理的概念、内涵、发展历程、理论基础等相关问题,并在此基础上,从教学管理模式、教学管理机制,以及高校教学管理信息化方面探讨了新时期高校教学管理创新的思路和对策。

　　本书在撰写过程中,参考和借鉴了一些知名学者和专家的观点及论著,在此向他们表示深深的感谢。由于著者水平和时间所限,书中难免有不足之处,希望各位专家和读者能够提出宝贵意见,以待进一步修改,使之更加完善。

著　者
2023 年 3 月

目　　录

绪　　论

　　高等学校要优质、高效地完成培养高级专门人才的任务,树立现代教育思想、教学思想和教学管理思想是先导。高等学校的教学管理行为直接受教学管理思想的支配。而教学管理思想既受宏观教育思想和教学思想的制约,又受宏观管理思想的影响,有什么样的宏观教育思想、管理思想和教学思想,都会在高等学校教学管理思想中反映出来。如以符合未来社会发展进程的、先导性的教育思想、教学思想和管理思想来指导教学管理,必将大大促进教学改革的深化和教学管理工作效果的提升。

　　我们注意到,在政治、经济、科技、教育、文化等宏观因素的作用下,在高等学校面向新时期全面开展教学改革的实践中,现阶段的教育思想、教学思想和管理思想正在不断革新,适应现代化社会需要的新思想正在形成、发展和完善。无疑地,它将大大丰富现代教学管理思想的内涵,促进现代教学管理思想的发展,因此,现代教学管理思想是一个动态的概念。但要把握其基本内涵,仍需要从认识教育思想、管理思想、管理理论开始。

第一章　高校教学管理改革概述

第一节　高校教学管理概述

随着新时期生产和科学技术的迅猛发展,科学管理越来越受到人们的重视。现代经济发达的国家已视科学、技术和管理为现代文明的三大支柱,认为没有科学管理就没有各项事业的持久、高速、高效的发展。高等学校也不例外,人们现在正认识到,教学缺乏科学的管理,必然影响人才培养的质量和效果。

一、高校教学管理概念

由于教学管理是管理的重要组成部分,因此我们要对管理的意义有一个一般性的了解。

什么叫管理? 不同的学派有不同的解释。

科学管理学派认为,"管理就是效率"。

行为科学管理学派认为,"管理就是对人的管理"。他们认为人的各种行为都产生于一定的动机,这种动机又是人类本身内在的强烈要求满足需要的结果。因而"管理是个人与群体共事,以达到组织的目标"。

管理科学学派认为,"管理就是决策"。他们认为管理就是确定达到目标的措施、办法,以便在正确决策的前提下提高管理效率,并找出最优方案。他们强调要把科学技术的手段引进管理活动中来。

20 世纪 70 年代出现的最新管理理论,把科学管理学派和行为科学管理学派的理论加以综合,认为"管理是一个集体为了实现预定目标,充分组织和使用各种资源(包括人力、物力、财力资源等)的过程"。

综上,我们认为,所谓"管理",就是管理者按照一定的原则,通过组织和协调他人的活动,以收到个人单独活动所不能收到的效果而进行的各种职能活动。这种意义上的管理,对办好高等学校是不可缺少的重要因素。

高校的教学管理是指高等学校根据一定的目标、原则对整个教学工作进行的调节和控制,从而保证教学工作有序、有效进行,以顺利实现培养德智体全面发展的人才这一预定目标。

高校教学管理职能可归纳为 20 个字:决策、规划;组织、指导;控制、协调;评估、激励;研究、创新。它们之间相互交叉、互为联系,是一个有机的整体。教学管理部门既是高校行政管理部门,又是高校学术研究部门,教学管理的改革必须以教学管理研究和教育研究为基础,因此,开展教学管理和教育研究是教学管理人员的重要任务之一,研究工作要结合中国国情,遵循教育规律。

二、高校教学管理的内容

(一)决策与规划

面对现代科学技术的迅速发展,高等学校领导应做出相应的战略决策,使学校各个方面的工作能够适应新的形势和新的任务。

决策是管理工作的核心,而形成决策时,必须一要依靠上级领导的正确指导和支持;二要加强对未来的研究,即根据现有信息,以比较可靠的概率,去描述未来,进行科学预测;三要了解现状,即清楚了解学校现有人力、物力、财力的条件,以及所处的优势和不足之处。四要根据上述三方面情况进行综合分析,而后形成决策,这样形成的决策就有了切实可行的基础;反之,根据一鳞半爪的信息,拍拍脑袋就做出决策,没有不碰壁的。应根据这四方面要求来确定学校建设的近期与长远规划,使规划既稳妥可靠又切实可行。

学校规划包括:学校长远建设的规模和速度;各专业建设的方向和重点;招生人数、培养目标和质量要求;教师队伍、管理干部及其他人员的结构比例和培养提高;各种设备、设施的利用与更新;学校基本建设的投资方向及后勤保障等。

(二)计划管理

高等学校的中心任务是教学工作。教学计划是学校进行教学的依据。制订周密的教学计划并进行严格的计划管理,可以把各个教学组织、管理部门科学地组织起来,把各教学阶段和教学环节有机地协调起来,使学校的人力、物力、财力和信息发挥更大的作用。

教学计划管理包括计划的制订、实施、检查和修改。制订计划的依据是国民经济发展的要求、科学技术发展的需要、国内外教育的先进经验,特别是各学科发展的方向和重点、学校的现实条件及经过努力可以创造的条件、培养目标及实现此目标的要求。

为了保证教学计划的实施,学校应根据教学计划的进程安排学期教学实施计划,师资培养计划,实验室建设计划,教材出版、供应计划,教学设备及参考书的补充计划等,作为教育计划的具体化补充。

教育计划一经批准,就应具有法律性质,要保持其相对稳定性,不得经常变动,只有在经过实践检验后,确实需要修订和补充时才做调整,否则不利于稳定教学秩序和提高教学质量。

实施计划是整个教学过程中的重要一环,既要求具备必要的人、财、物等诸条件,又要求学校院系各级组织保证和广大教师自觉执行。

(三)条件管理

条件管理要求用最低的劳动消耗和物力消耗,取得更好的教育效果。

条件管理包括教师队伍管理,仪器设备管理,教室、教具管理,教材、图书资料管理等。

管理的核心是对人的管理,对于高等学校来说,就是对教师队伍的管理,其目标就是要建成一支既能适应我国当前经济发展需要又能适应将来发展趋势的教师队伍。学校要建成这样一支师资队伍,必须在调查研究的基础上,根据现有教师队伍的状况,制定教师建设规划,并分阶段地贯彻落实。在这个规划中,对教师要做出培养、计划,尽快形成各有专长的教师队伍的最佳结构。要明确学科带头人,建立学术梯队,加速培养一批年轻、有才华的教学、科研后备力量。要确定教师定编、定员、定工作量制度及技术职称评定办法,使现有人才各得其所。要重视人才的合理流动。所谓合理流动,一是人才管理的灵活性,做到不拘一格选拔人才;二是人才配置的合理性,做到人尽其才,各安其位;三是人才培养的延续性,做到新陈代谢,后继有人;四是重视校际的人才交流,避免"单线繁衍"和"近亲结合"的弊端。要选留研究生补充教师队伍,保证后续人才的质量。

(四)经费管理

经费管理主要是根据国家可提供的教学经费按学校发展规模、结构、布局与教学科研实际需要,以及最大投资效益来确定学校建设投资方向,如仪器设备的补充和更新,教材的编印出版,图书资料、科技情报的存储和流通,教学设备的添置,以保证教学科研的正常进行与水平的提高。同时也要重视挖掘现有人力、物力的潜力,要精心运筹,加强管理,采取切实可行的手段,提高利用效率,防止设备、图书、教材的陈旧过时和积压浪费。

(五)教学质量管理

教学质量管理就是指各级管理部门,监督保证教学过程的各个环节按规定质量标准和要求顺利执行,以达到培养目标的要求,这就要:

(1)对教师的政治思想、工作态度、业务水平和教育素养提出明确要求;

(2)对教学过程的各个环节(包括备课、讲课、作业、实验、实习、辅导等)提出质量标准;

(3)对学生提出有关德智体全面发展,努力学好各门课程的基本要求;

(4)对学习过程的各个环节(包括预习、听讲、复习、作业、自学、小结等)提出质量标准;

(5)开展教学检查,既要分段进行,又要贯穿教学的全过程,不仅要检查教学的最后效果,还要检查教学各个环节是否符合质量标准;

(6)教学检查工作要经常化、制度化,要和教学结合进行,发现经验时,要组织交流,发现问题时,要提出解决办法。

教育事业要适应国民经济发展的需要,除要积极发展数量外,更要重视质量。由于教学的过程具有随机性,影响教学质量的干扰因子会随机而生,因而确定教学质量客观标准并不是一件容易的事,例如有的课程考试平均成绩偏高,并不能说明该课程的教学质量就好,但也不能断言它就不好,因为教师出题的难易和评分标准的宽严带有一定的主观性,缺乏一个明确统一的标准和要求。但还是要制定一个质量标准,并在实践中不断完善。因此,加强教学质量管理,首先要统一对质量概念的认识和评定质量的标准。这个质量的标准要体现德智体全面发展要求,不能片面地将课程考试分数的高低作为衡量教学质量好坏的唯一标准。

(六)教务管理

教务管理的主要内容包括:

(1)掌握各种教学计划与改革方案;

（2）组织安排全校学生的教学,如学生编班、排课表、学生考勤、考核统计等;

（3）掌管学生的学习情况;

（4）掌握有关教学的档案和资料。

有条件的学校应建立档案室,保管学生的学籍档案、教师教学档案等;保管各种有关教学的统计资料、考核与考勤统计、各种教学工作计划及总结报表、教学改革方案与经验总结等。这些资料反映学校的历史与面貌,以及学校发展中的重大措施和执行的效果,是学校制定规划、总结和做出重要决策的依据,也是总结教育规律和进行教育科学研究必不可少的材料。

三、高校教学管理的主要特点

教学管理在高校管理中具有举足轻重的地位和不可替代的作用,教学管理是高等学校工作的重要组成部分,是有效连接教与学过程中各个环节的纽带和桥梁,高效、有序、科学的教学管理是发展学生学习积极性的前提和保障,高等学校的教学管理特点具体表现在以下几个方面。

（一）整体性

按照《高等学校教学管理要点》（教育部高教司〔1998〕33 号）规定,高等学校教学管理分为教学计划管理、教学运行管理、教学质量管理与评价、教学基本建设管理、教学管理组织系统、教学管理与教育研究 6 个方面 41 个要点。每一个方面和每一个要点都不是孤立的,而是相互关联、相互影响的,每一个要点的变化发展都会对其他的要点产生或轻或重的影响。教学管理效益不是从单个的要点做得好与不好中体现出来的,而是各个方面协调综合作用的结果,归根结底就是体现在人才培养的质量上。高校教学管理既不是哪一位领导的事情,也不是哪一个部门的事情,需要方方面面的协调配合才能做好这项工作。

（二）动态性

教学管理过程是管理者、教师和学生三方面相互交流的过程,人的因素在这个过程中起着至关重要的作用。管理又是多种功能交织在一起的,在管理中,人、物、信息、时间、空间等都是在不断变化的,他们的相互关系也是在不断变化的,因此,要根据管理对象和情况的变化及时做出相应的调整,以保证教学管理目标的顺利实现。

（三）学术性

"教学管理不仅仅是一般的行政管理,而且是兼有学术管理和行政管理双重职能的一门科学,是一门需要长期的学习和实践才能掌握的学问。"教学管理主要是对智力活动的管理,管理的目的是培养人才,管理起来必须以专业知识为中介,按客观规律科学地运作,不能仅凭经验照章办事。教学管理要求管理者必须具备一定的专业知识和达到一定的专业水准,应该懂得教育规律,具有先进的教育管理思想和较强的管理专业意识,具备对教育本身不断了解和感悟的能力,有改革创新精神,能够准确全面地和教师、学生沟通。教学管理既是管理,也是一种学术,需要不断地研究。

(四)导向性

教学管理是一种有目的的管理与教育活动,从某种意义上研究讲,教学管理就是高校办学思想和育人思想的体现。教学管理的思想、管理内容、管理规章制度、管理行为等都对教师的教和学生的学产生直接的导向作用。管理出效率,科学规范的教学管理能促进教学水平和人才培养质量的提高,反之,管理上不去,教学和人才培养必然出现混乱,甚至严重影响办学效益和办学信誉。

(五)民主性

在高校的教学管理中,教师和学生既是管理对象,又是管理主体。他们的特点是,都从事学术性很强的教学、研究和学习,是精神生产,主要靠自己独立钻研和思考,高校教学目标的实现要靠教师去实施,也要靠学生自觉自主地学习。所以,充分调动教师和学生的积极性,充分地尊重他们,让他们参与教学决策,参与教学管理,随时注意听取他们的意见,有利于集思广益、避免失误、提高教学管理的效率。

(六)服务性

教学工作始终是高等学校的中心工作,高等学校的教学管理既是管理,也是服务,即服务于教学和人才培养工作。教师和学生既是管理的对象,也是服务的对象,教学管理工作者所做的一切工作说到底就是为了教师教好和学生学好,从这个意义上讲,教学管理更多的含义是服务,而且是主动服务。只讲管理,不讲服务,很容易挫伤教师教学和学生学习的积极性与主动性。

四、教学管理在高校中的作用

中华人民共和国成立以来,我国的高等教育在数量上发展很快,在质量上也有明显提高。根据教育部统计公报,截至 2019 年,我国各类高等教育在学总规模 4 002 万人,高等教育毛入学率 51.6%。全国共有普通高等学校 2 688 所,比上年增加 25 所,增长 0.94%。其中,本科院校 1 265 所,比上年增加 20 所;高职(专科)院校 1 423 所,比上年增加 5 所。全国共有成人高等学校 268 所,研究生培养机构 828 个,其中普通高等学校 593 个,科研机构 235 个。

高等学校是培养专门人才的场所,百年大计,教育为本。科技的发展,经济的振兴,乃至整个社会的进步,都取决于劳动者素质的提高和大量合格人才的培养。如果高等学校不加速科学管理的进程,就很难完成培养人才的任务。

在高等学校管理中,教学管理居于首要地位,对提高教学质量起着不容忽视的重要作用。由于教学管理和教学领导在一个学校范围内实际上是同义语,因此完全可以这样说:搞好教学工作,培养合格人才,关键在于教学管理。这是因为:

第一,在高等学校里,一支合格的教师队伍并不是自发形成的,必须由教学管理者制定规划,选定人员,进行培养,以便不断提高教师的思想水平、教学水平和学术水平。

第二,一本好的教材问世,往往与教学管理部门在遴选编写人员、组织编写、付印、使用等方面的领导与支持是分不开的。

第三,教学仪器设备和图书资料,要由教学管理部门分配资金、合理购置。

第四,为了充分发挥学生的学习积极性、主动性、创造性,教学管理部门要组织制订培养方案——教学计划,开展教学内容、方法的改革,建立健全规章制度,加强思想政治工作,保证学生在德、智、体各方面生动活泼地得到发展。

因此,教学是高等学校的一项中心任务。而教学管理自然是管理的主要部分。其他的管理工作也必须围绕学校的中心任务——教学开展工作。每所高等学校如果教学管理不好,那么要想教学质量得到不断提高,一般是不大可能的。

五、新时期高校教学管理观念与原则创新

(一)新时期高校教学管理观念的新突破

1. "兼容并蓄"的开放观

教学管理作为管理学的一个分支,在组成上包括管理方法、管理原则、管理对象等几部分;在流程上由组织、决策等几个环节组成。教学管理的开放观体现在教学管理的各个组成部分和流程上。

首先,在管理方法、原则上应该学习和借鉴其他国家先进的教学管理经验。国内校际间也应该相互交流、学习,促进资源共享。

其次,教学管理还应向其他学科和领域开放,引进其他学科和领域的管理方法。

最后,在教学管理的决策和监督上应该向学生、教师和社会开放。

2. "以人为本"的服务观

现代管理理念认为,管理的职能不仅仅是管理,更重要的是服务,教学管理也不例外,教师和学生不仅是管理的对象,更是服务的对象。现代教学管理主张人本管理、全员管理。人本管理模式,即强调要以人全面、自由的发展为核心,以组织成员个人自我管理为基础,以组织的共同目标为引导,形成教、学、管三种权力制约机制。当前,高等学校应着重在以下两个方面下功夫:

一是要在教学管理中运用行为科学的理论,认真调查了解促进学生协调发展的办法和途径,注重引导将学生心理需求同教学目标有机结合起来;

二是要在保证教学规章制度有效实施的基础上,尽可能给师生留有一定的自由度,突出教师、学生在教学中的地位和作用,应有刚柔并济、张弛有度的管理制度。

高等学校应充分鼓励教师和学生的个性发展,充分尊重师生的兴趣、情感,调动有利于形成教师的教学积极性,提高教学质量,将培养学生、促进学生的协调发展内化为教师的自律行为。

3. "自主管理"的分权观

受计划经济的影响,我国传统的高校教学管理是以学生处和教务处等职能部门为中心的,职能部门几乎控制了所有教学管理事务,院系只起到落实政策和传达信息的作用。这种集权体制的弊端是显而易见的:

(1)单一的垂直管理体制造成了教学管理信息的失真;

(2)集中的管理体制限制了院系单位的工作积极性,其教学质量难以提升;

（3）职能部门的统一计划抹杀了学科之间的差异，导致了各学科的教学安排高度趋同。

新时期，高校教学管理要树立分权的观念，合理分权，提高院系的管理权限，变职能部门的垂直管理为各个院系的实体管理。院系与职能部门建立目标责任关系，院系根据本单位实际情况和学科特色进行自主管理，职能部门主要负责指导、协调、监督及服务工作。

(二)新时期高校教育管理原则的新思路

1. 效率原则

在一定时期内，教学管理的可利用资源总是有限的、稀缺的。要把有限的人力、物力和财力资源进行有效的配置，做到人尽其才，物尽其用、财尽其需，就必须提升教学管理的效率。提高高校教学管理的效率应从两方面入手：一是优化资源配置，硬件与软件要配套；二是要提高现有资源的利用率，资源闲置就是浪费。我国是一个发展中国家，高等教育经费投入十分有限，严格遵循教育管理的效率原则具有重要的现实意义。

2. 系统性原则

系统理论认为，整体不是各部分简单地加和，整体功能应大于部分功能之和，部分脱离整体也不会保持原有的属性。高校教学管理工作的最终目标是培养高层次人才，这决定了任何一个部门都要围绕这个目标来开展工作。另外，高校教学管理要处理好分工与协调的关系。分工要在促进局部效率的同时保证整体效率，关系协调处理不好，就会造成资源消耗，推诿、扯皮，就会影响大局。系统管理的关键是转变职能部门的工作重心，把职能部门的工作重心从具体管理转变到协调与监督上来。同时，职能部门之间也要相互配合、协调好，不在任何一个环节上出现问题，才不会影响工作的正常开展。

3. 弹性原则

受科学管理思想的影响，传统教学管理要求准确性与确定性，所以教学管理注重规范的落实与秩序的形成，培养出来的是"整齐划一"的人才，普遍缺乏个性和创造性。在知识经济时代，社会需要的是创新型人才。高校的教学管理必须保持一定的弹性，为教师和学生的科研和教学活动留有足够的自主空间。在教学管理实践中，在保证教学管理工作有序进行的条件下，应该充分发挥教师和学生自我管理、自我提高与自我服务的作用。学分制等弹性学制是高校教学管理体制改革的重要内容和方向，既增加了学生学习的动力，也为教师提供了较好的激励、竞争机制。

第二节　高校教学管理改革研究综述

一、教学管理相关研究的历史回顾

教学管理是教育管理的核心，教学管理的理论基础来源于教育管理学。因此，在进行高校教学管理的理论与实践研究之前，有必要先对教育管理学的重要理论进行概述，对教育实践和思想的历史轨迹进行综述。

(一)教育管理学的产生和发展

教育管理学是在把教育管理当作一种专门的研究领域之后才出现的,它的产生有其自身的理论和实践基础。从实践基础来讲,近代大工业的兴起和生产力的发展引发对教育的极大需求,而对教育的需求又促使公共教育制度建立。随着公共教育制度的建立,学校规模扩大,学生入学人数大大增加,教育的投入也相应增加,影响教育的各种因素也随之增加,这样就使得教育管理工作变得复杂起来,加上政府对教育事务及其管理日趋重视,因此客观上便提出对教育管理进行专门研究的需要。理论的基础是指 20 世纪兴起的工业管理理论,这些理论为教育管理工作超越原来的经验式管理提供了可能,教育管理者可以借鉴这些理论分析教育管理问题,并逐步形成自身的理论框架。可以说,一方面是学校组织本身的发展,另一方面是工业管理理论的兴起和影响,教育管理学应运而生。

作为一门学科,教育管理学产生于 20 世纪初期,而 50 年代以后,在科学方法的引入下,这门学科逐渐趋于成熟,具备了独立学科的地位。欧美国家的教育管理学在发展过程中受一般管理理论的影响较大,经历了古典管理理论影响、人际关系理论影响、科层制组织理论影响、行为科学影响等几个阶段。从 20 世纪初起,作为整个"新学"体系的一部分,我国开始引进国外教育管理方面的学术著作,20 世纪二三十年代起,一些学者尝试编著符合我国教育管理自身特点的著作,到 20 世纪 80 年代我国的教育管理学获得了较大发展。

(二)教育理论的重大变革:从经验管理到科学管理

在相当长的时间内,人类社会的教育管理活动呈现出一种经验管理的形态。即管理者在管理过程中凭借个人或某一团体积累的知识和经验来开展管理工作。经验管理所依靠的,主要是个体的亲身感受、直接体验以及传统的习惯定式,因此其局限性是显而易见的。从古代的教学活动到近代教育制度的建立,人们对教育的管理基本上属于经验管理。

教育管理的经验模式,在其发展过程中形成了一系列的基本特点:管理者把个人的经验作为教育决策和判断的依据;办教育的水平实际上就代表了教育管理者的经验水平;办学经验始终停留在经验水平层次,难以上升到理论高度,更难以大面积推广;当教育处于较稳定状态时,管理有效,一旦教育发生剧烈变革,管理就会出现困难。

如果说历史上的学校教育事业因其规模有限,采用经验管理的模式尚能奏效的话,那么到了现代大工业社会时代,随着学校教育规模的急剧扩大,入学人数的大量增加,过去的那种经验管理的模式显然已经远远不够。大约从 20 世纪初起,教育管理开始逐渐由经验管理走向科学管理。促使这种管理形态发生变化的原因有:大众对教育的需求以及随之而来的公共教育制度的建立;现代心理科学的发展,使得人们对人的学习心理和行为特点有了更多的了解;现代实验教育学的兴起,激发了人们把教育作为一项实验来研究的兴趣,科学的方法由此被引进教育的研究之中;企业管理理论的崛起,促使教育管理者用企业管理理论和方法思考教育管理问题;民主主义思想的传播,使广大教师对专断式的经验管理方法产生怀疑、抵触的心理;现代教育技术的发展,使管理者有可能借助现代化的技术手段观察和分析教育教学中存在的问题。所有这些因素合在一起,为教育模式的转型提供了强大的驱动力。

教育的科学管理模式同样也呈现出一些鲜明的特性:管理过程中更看重管理理论的指导作用,不再盲目轻信个体的感受、经验;教育管理的机构层次分明,分工明确,制度健全,职权责一致;管理过程中注意运用调查、统计、测量等原本自然科学常用的技术手段来分析教育教学中存在的问题;比较注重民主管理的方法,强调参与决策的重要性;管理的模式具有较大的推广价值;有较强的适应性,既能适应稳定时代的教育事业的管理,也能适应变革时代的教育事业的管理。

教育管理由经验管理发展到科学管理,无疑是一个巨大的进步,完成了一次历史性的飞跃,教育的科学管理也因之较经验管理有着更大的优越性而成为当今教育管理的主流。

(三)现代管理理论和教育管理思想的发展

20世纪以来,管理理论的发展经历了四个阶段:古典管理理论阶段、人际关系理论阶段、结构主义阶段、行为科学阶段

1.古典管理理论阶段

古典管理理论兴起于20世纪初期,代表人物有美国的泰罗、法国的法约尔、德国的韦伯、英国的厄威克等。古典管理理论倡导效率原则、管理的制度化、工作标准化,坚信管理的规律性等,其管理原则被社会各界的管理工作广泛应用,也对教育管理产生了积极的影响。

2.人际关系理论阶段

20世纪30年代起开始流行人际关系学说,代表人物有梅奥和罗特利斯伯格等,他们强调员工的动机、工作满意度、非正式组织的意义等对提高劳动效率的价值。人际关系理论家坚信,只有充分调动人的工作积极性,改善组织中的人际关系,才能达到有效管理的目的。人际关系理论对当时的欧美教育行政管理产生了一定的积极影响。在人际关系学说的影响下,"独断专行的学校管理者不见了,师生享有了比以往任何时候都多得多的自由,学校也成为学习和工作的快乐的场所"。

3.结构主义阶段

结构主义是以当代最负盛名的管理思想家韦伯的"科层制"理论为代表的管理学说,他认为现代社会各种组织中,最理想、最有效率的组织是所谓科层制组织。韦伯的理论及其对组织结构的分析,对教育管理学的研究产生了深刻的影响,是现代教育组织理论的基础。

4.行为科学阶段

从20世纪50年代起,管理科学步入行为科学阶段。行为科学是一门全新的科学,它运用心理学、社会学、政治学、经济学、人类学等多学科知识,探讨人的行为问题。行为科学的主要成果有:巴纳德的社会系统理论,西蒙的决策理论,领导行为的研究、激励理论等。行为科学对教育管理的影响主要有三个方面:在理论上,充实了教育管理的理论体系;在研究方法上,改变以往"根据常识的价值判断"的经验管理方式,大量引入各种手段的实证研究,使得教育管理的研究更为严谨和科学;在学科建设上,由于采用了行为科学的理论和研究方法,因此学科体系日益严密和完善。

综上所述,20世纪以来管理思想几乎每发展一步,都会对教育管理的理论和实践产生重大的影响。古人的思想和实践为我们今天的教育管理提供了启发和借鉴,而20世纪以来

的管理思想,则为我们提供了强大的理论基础和科学系统的研究方法。

二、教学管理改革的研究近况

近年来,学者对教学管理及改革方面进行了全方位的研究,内容涉及教学管理的内容、教学管理改革模式探索、跨世纪人才培养新模式的教育现代化,以及提高学生的素质教育等方面,相关文献数千篇。下面仅就部分内容略做综述。

(一) 在教学管理改革内容方面的研究

王若梅认为,由于高校扩招,我国高等教育正在从"精英教育"向"大众化教育"转化,高等学校的教学管理正面临着深刻的改革,以适应高等教育发展的要求。高等学校在教学管理上,主要对在学分制的实施、教学计划制订、考试管理等方面进行改革。高翔认为,我国高等教育在不断深化改革,教学管理改革要做到如下几点:(1)要有利于提高教学质量,增强学生核心竞争力;(2)要促使高等学校适应知识经济社会和社会主义市场经济体制对高等教育所提出的要求;(3)要适应大众化高等教育,树立正确的现代教育观,包括教育发展观、教育质量观和现代人才观,体现对人才培养目标、质量和教学过程评价及评估的导向性,并正确处理好教学质量与其他方面的关系;(4)改革的重点应是加强学风考风教育、严格学籍管理和严肃考试纪律,并要加强教师职业道德和敬业精神教育。

魏鋆认为,对于教学与教学管理改革的共性问题,应转变教育思想、更新教育观念,引导教师广泛参与,采用系统观点、最优化原则和先进技术手段,并逐步提高人员素质等,以解决教学管理改革中存在的某些问题。

鲁中均认为,教学管理改革有许多侧重点:(1)改革与更新教育思想、教育观念;(2)改革本科教学管理的模式,降低教学管理运行的重心;(3)形成本科教学计划的多种组合,给学生以更大的学习选择空间;(4)完善有效的质量监控体系和机制,加强对教学信息的反馈与分析;(5)根据本科教学管理的学术性特点,进一步提高本科教学管理在改革与决策上的科学化、民主化水平。

齐晓宇等认为,教学工作是高等学校经常性的中心工作,而科学规范的教学管理则是提高教学质量和办学效益、实现高等学校人才培养目标的根本保证。要进行有效的教学管理改革,一方面应加强对教学工作的领导、对教学的督导和教学管理的制度建设,另一方面还应该不断学习,努力掌握系统管理办法,提高管理的理论水平。

江埔认为,进入攻坚阶段的教学改革能否达到预期目标,在很大程度上取决于教学管理思想的变革。教学管理思想的变革应坚持以人才培养为中心,立足充分发挥教师的主导作用和学生的主体作用两个基本点,重点抓好教学计划、教学运行和教学质量等三项管理,确保人员、政策、投入和检查四到位,树立服务、协作、学习、民主和法治五个意识。

杨式毅认为,提高对高等学校教学管理特性的认识与把握程度,是推动教学管理改革的关键点和动力之源。在学校发展及教学管理的指导思想上,要与经济、社会发展的速度保持随动,水平保持同步。

(二) 建立新型教学管理模式的研究

吴光等认为,建立以"学生为主体"的教学管理观念,以适应"终身教育"的教学管理观,确立"智力教育与非智力教育协调发展"的新教学管理模式,将有利于学生主体意识、创造意识和自我管理意识的培养,对于新形势下教学管理的创新和改革有积极意义。

宁永红等认为,现行教学管理对创新型人才培养有诸多制约因素,如教学管理方法过分强调集中性和统一性、教学管理制度不利于创新型人才的培养、重视常规轻学术管理的错误思想,有必要探索教学管理新模式,为创新型人才的培养营造良好的教育环境,这包括:(1)转变教学管理思想,树立为创新型人才培养服务的意识;(2)坚持个性发展,制定有利于创新型人才培养的评价标准;(3)正确处理严与活的关系,实行弹性学分制;(4)制定合理的制度,充分调动广大教师教学改革的主动性和积极性;(5)将学术管理融入行政管理之中,建立科学的决策机制等措施,以充分调动教师参与教学管理的积极性,并建立合理的教学管理评价机制和灵活的教学管理协调机制。

张茂仁认为,教学质量是高等学校求存之基、发展之本,教学管理的各项工作必须以提高教学质量为目的,只有通过构建以教学质量为核心的教学管理模式,确立教学质量的核心地位,转变观念,加大投入,把质量意识贯穿于教学管理的始终,才能克服扩招带来的各种不利因素,使教学质量在保持稳定的基础上不断提高。

丁景梅认为,目前的高校教学管理存在许多问题,首先从教学管理的内容看,一是教学目标表现出相当程度的模糊性,二是教学内容陈旧的现象比较突出,三是课堂教学效率较低,四是教学评价缺少规范等;其次从教学管理的方法看,过分强调了集中性、统一性与单一性、招生统一、培养目标统一、教学大纲统一、课程体系统一、教学进度统一、评定标准统一、毕业证书统一;最后从教学管理的效果看,存在专业教育过窄、道德培养目标过严和共性制约过紧等问题。在这种教学管理模式下培养出来的学生是适应不了新时期对高素质人才的要求的,必须建立一种新的教学管理模式,以增强教学管理的多样性、开放性、灵活性、实践性、法制性和目的性,注重教学管理的改革,加强学生综合素质的提高与完善,使学生在思想道德素质、文化素质、业务素质、身体和心理素质诸方面得到健康和谐的发展。

茶世俊等提出了让学生参与教学管理的模式,认为学生参与教学管理,有利于优化教学环境,促进学生学习主体性的发挥。学生参与教学管理的内容主要包括知情、选择、反馈、研讨、评价、决策六个环节,其中以选择、研讨、评价为基本环节,由此可以构建学生参与教学管理的一种模式,即"ECE 模式"。"ECE 模式"是高校教学管理者为实现教学管理目标而建立的以学生参与为重要手段进行管理活动的一个样式。该模式以主体教学管理观为指导,以教、学、管三方权力制衡为动力,采取分层参与、梯级递进的办法进行管理,并以激励机制和保障机制促进管理的良性运行。

王智祥等认为,教学管理模式改革势在必行,这是素质教育、教育市场化、多种办学模式、精英教育与大众教育相结合和教学管理重心调整等的需要,作为教学管理工作者,应积极探索和建构适应现代素质教育的教学管理模式,其措施可包括推行辅导员制和导师制、改革学生学籍管理、改善教学环境,以及改革学校管理体制,实现后勤管理社会化,这些都是建立现代教学管理模式的重要保证。

罗义认为,开放教育试点旨在建立一种以学生为中心、教师为主导的教学模式,这要求我们的教学管理必须围绕这一宗旨对传统的教学管理模式进行改革和创新。开放教育的教学管理从内容上除了日常教学管理外,还应包括入学过程的管理;从管理模式上,开放教育应充分体现教学和管理人员的主导作用,积极引导和推动学生自主学习,并以此采取相应的管理措施和办法。

冯志敏等对美国的教学管理模式进行了分析,认为美国大学十分注重利用自身的优势,着力培养学生在现代社会中生存与竞争的技能和素质,以及在多种环境和条件下工作和自我发展的能力,形成了"以通为主、先通后专、通专结合"为特色的人才培养模式。其中美国大学的学分制和选课制经过不断完善和创新,已经成为对学生个性发展影响最大的两个教学管理制度,被不同的高校和不同的教育层次所采纳,具有灵活性和有效性的特点。随着我国加入世界贸易组织(WTO),高等教育正走向国际化,其在这种形势下必须推进素质教育,完善学分制教学管理模式,改革考试方法,加快教育技术现代化建设,建立科学合理的学生教学质量评价标准,从而形成多样化的教学模式。

白红云对美国教育管理史和我国近年来扩招的现状进行了比较分析,认为学分制是我国由精英教育向大众化教育转变过程中教学管理模式的一种探索。

(三)教学管理的现代化研究

陶传铭认为,教学管理现代化的本质是教学管理模式的改革创新。教学管理现代化能否顺利推进,一是取决于教学管理主体思想解放、观念更新的程度;二是取决于教学管理主体能否能动地把现代教学管理理念转化为教学管理行为;三是取决于教学管理主体能否始终站在教育改革的前列,密切关注和把握高等教育改革发展的时代脉搏,保持思想观念与时俱进。

周跃红认为,教学管理现代化的内涵就是一切有利于教学创新和创新教育实施的管理观念、管理体制和教学运行机制的建立。教学管理现代化的实施可从三方面探索:一是原则与灵活同步,实现管理观念转变;二是严格与宽松并存,突出管理模式变革;三是规范与创新交叉,促进管理系统创新。

陈彩娟认为,要实现教学管理的科学化与现代化,应做到如下几点:(1)建设一支稳定的教学管理队伍,形成一个合理的教学管理网络;(2)提高教学管理队伍整体素质,促进教学管理争创一流水平;(3)增强法治观念,规范教学管理,促进教学管理科学化、掌握现代化管理手段,促进教学管理现代化。

(四)提高学生素质教育方面的研究

李仕祥等认为,加强素质教育管理体制改革和加强实践性教学,是深化教学管理改革的重要措施。

杨立军认为,随着高等教育的国际化,竞争的焦点将凝聚在人才的创新能力上,高等学校要转变观念,将学生创新能力的发展置于高校教育教学目标的核心地位,以利于高校培养目标的实现——培养学生创新能力。

朱力认为,加强素质教育,培养具有综合素质的创新型人才已成为我国高等教育改革和发展的必然趋势,在教学管理系统化、现代化工作的改革与实践中,应逐步增强服务意识、合作意识和创新意识等,不能过于循规蹈矩,应不断学习新的管理模式,摆脱旧的思维定式的影响,优化教学管理的整体功能。

石金龙等认为,高校扩招给教学带来了,如生源质量差距拉大、师资紧缺状况加剧,以及教学设施、教学条件不足等问题,为了保证教学质量、提高学生的整体素质,有必要加强管理人员的政治、道德、自身业务和计划决策与组织协调等素质培养,提高教学管理的理论和实践水平。

黄莉敏认为,高校连续几年扩招,给学校和社会造成很大压力,高校教学和学生的整体素质受到质疑。为切实提高学生素质,应加强教学管理,教学管理是提高教学和人才培养质量的前提与保障,让学生参与教学管理是教学管理改革的新举措、是高校教学管理制度的健全和完善。其从学生参与学校教学改革和制度建设;利用现代化网络技术,实行学生对每节课的全员跟踪评教;让学生自主参与学生学习过程的监控;建立毕业生就业质量信息反馈网站,达到理论联系实际的教学目的等方面探讨了学生参与教学管理,对提高教学和人才培养质量的意义。

三、面向 21 世纪的高等教育教学改革研究

步入 21 世纪的高等教育,面临着诸多挑战。随着和平与发展成为当今世界的主题。无论是发达国家还是发展中国家都把发展经济、提高综合国力看作当务之急,国际竞争日趋激烈。国际的经济竞争、科技竞争,乃至综合国力的竞争,实质上是科技和人才的竞争,归根结底是教育的竞争。在这场激烈的竞争中,教育,尤其是高等教育,扮演着特殊的角色。今天的高等学校已经完全走出昔日的"象牙之塔",走向社会生活的中心舞台,正成为经济腾飞的"发动机"。社会经济发展对高等教育的影响,高等教育对社会经济发展的参与和作用,比以往任何时候都更为强烈和直接。高等教育在社会经济发展中的特殊地位和作用,使高等教育面临新的机遇和挑战,这也正是世界各国政府普遍关注高等教育及其改革的根本原因所在。

教育环境的变化、教育观点的调整必然要推动高等学校教育、教学的重大变革。回顾我国高等教育发展的历程,不难看出,我国原有的高等教育体系,是在高度集中的计划经济体制下形成和发展起来的,基本上满足了当时社会发展与建设的需要,为我国社会主义建设事业做出了重大贡献。十一届三中全会以后,我国高等教育有了很大发展,改革不断深入。然而,随着我国改革开放事业的不断推进和经济体制改革的日益深入,我国原有的高等教育体系与市场经济体制的建立和社会经济发展的需要不相适应,这主要表现在以下几个方面:高等教育体制改革相对滞后于经济体制改革的步伐;教育思想与教育观念同时代要求不相适应;教学内容、教学方法、教学手段与 21 世纪人才培养的要求不相适应;师资队伍建设跟不上改革开放和跨世纪人才培养的要求;经费的投入与高等教育事业的发展和要求存在着较大的差距;等等。特别是进入 21 世纪以来,随着国家经济体制和经济增长方式的转变,高等教育必须从办学模式、管理体制、投资体制、招生和毕业生就业制度到人才培养模式、专业设置、教学内容和方法以及高等学校的教学管理等方面做出相应的、更为深刻的变革。

21 世纪的到来也给高等教育教学质量提出了更高的要求。近几年来,在我国高教界进

行了两项非常重大的改革:一是管理体制改革;二是高校扩招。目前,管理体制改革已经取得重大成果,高校的合并组建等工作也已经基本结束。内部管理尤其是教学管理问题将成为今后一段时间里高校工作的核心内容。改革教学管理,实现教学管理的科学化、民主化、法治化是提高教学质量的重要环节。原来的教学管理多是过程管理,运作上多是单一的行政式的管理模式,不利于调动学校院系以及教师的积极性,办出自己的特色。20世纪80年代中期以来,许多学校借鉴和吸收国外的先进经验,从各校的实际出发,进行各种教学评估试验,收到比较好的效果并取得了有益的经验。随后开展的高等学校合格评估、办学水平评估和选优评估等各项教育教学评估工作在高校引起强烈反响,促使各类高校开始重新审视自己的教学工作,在更高层次上认识并加强教学管理、提高教育质量。

当前高校教育、教学管理改革的切入点,主要有以下几个方面。

(1)找准学校定位,明确办学思想。21世纪初中国高等学校发展的一个重要特点是:学校重新分化、整合和定位;学校个性和特色逐步形成;品牌竞争意识将加强。学校领导者在实施学校管理中必须找准学校的发展定位,只有准确定位才能发挥高校的传统和优势,办出学校的特色和水平。也只有明确定位才能使教育、教学管理的要求切合实际、符合人才培养规律。

(2)以专业教学计划修订为主线调整专业结构和人才培养模式,不断完善教育过程的总体设计。我国高校专业教学计划不仅经历了从学年制教学计划向学分制教学计划的过渡,而且经历了从强调课程体系的整体优化,到重视整个教学过程,包括整个教学环节的优化,再到整个教育过程的系统设计和优化,从而成为实施全面素质教育的人才培养计划。

(3)进一步完善学分制,逐步过渡到实行完全的学分制。推行学分制对深化教学改革、拓展教育国际化空间具有十分积极的作用。

(4)以构建基础教学平台为重点,加强课程建设、教材建设、网络课件建设等。

(5)以考试方法改革和实践教学环节建设为切入点,推动教师教学方法和教育观念的改革,培养学生创新能力,提高综合素质。

(6)发挥教师和学生在教学管理中的作用,建立健全教学质量监督、评估制度,健全质量保障体系,全面提高教学质量。

(7)实施"新世纪教育质量工程",加强师资队伍建设,形成"名师资、名课程、名专业、名管理"的特色。

(8)加强文化素质教育,建设人文化校园环境,重视人文化校园对学生道德熏陶的潜移默化的作用。

第三节　高校教学管理改革的理论基础

随着21世纪知识经济对创新型人才培养提出更高的要求,以及近年来因"扩招"而出现的学生数量的大幅增加,教学管理面临着前所未有的越来越多的挑战。在新的形势下,教学管理如果仅墨守传统的教学管理模式和手段,已远远不能协调和解决教学过程中涌现出的各种各样的问题、冲突和矛盾。因此,为顺应时代潮流,对传统教学管理模式进行必要的改革是大势所趋和势在必行。我们认为,作为一名教学管理者,在改革传统教学模式的同时,必须首先明确和掌握教学管理改革的总体指导思想,积极吸收和应用各种先进的管理理论与思想(如系统论、人本思想、沟通理论等),将其作为新时代教学管理的理论基础和实践依据,并力争在改革的各个层面上协调和理顺与教学有关的各种关系和认识,使得改革后的教学管理既有深厚的管理理论做指导,又以新形势下行之有效的实践活动为目标,满足知识经济对人才的要求和期望。

一、教学管理改革的指导思想

(一)教学管理的改革必须坚决贯彻党和国家的教育方针与政策,根据高校教学的特点和规律开展工作,一切措施必须符合教学规律

我国的高等教育要以培养四化建设有用的人才为目的,高校的所有工作都是在这个大前提下开展的。我国高等学校教学管理的一切工作和措施都必须坚决贯彻教育要面向现代化、面向世界、面向未来的战略思想和国家的教育方针与政策,注意培养学生能坚持四项基本原则,具有改革开放的意识,具有为国家富强和人民富裕而艰苦奋斗的献身精神,具有实事求是、独立思考、勇于创造的科学精神,使他们成为德智体全面发展的,有理想、有道德、有文化、有纪律的合格的社会主义建设的高级专门人才。作为高校管理工作重要内容的教学管理改革也必须在这个大原则下进行,并按照教学规律办事,一切措施必须符合教学规律。

(二)教学管理改革必须坚持以教学为中心的原则,教学管理应该导向教学、服务教学

教学是高校的中心工作。学校的办学宗旨或根本任务是培育人才,它最主要、最直接、最基本的目标是通过教学这一途径来实现的。因此,高校教学管理改革应紧紧围绕教学工作展开,以提高教学的质量和效益为目的,以最大限度满足教学改革的需要为最高原则,凡是教学改革需要的配套管理措施和要求,教学管理改革都应全力从管理的技术上找到突破口予以解决。

(三)教学管理改革必须以保持教学工作的稳定为前提,适应教学发展的要求,并推动教学改革的深化

教学的稳定是高校生存和发展的基础,一切的教学管理改革工作都应在保持教学稳定的基础上有计划、有步骤地逐步开展。教学管理改革的思路和措施只有在广泛地得到了教师、学生、学校各部门的理解和支持的前提下才有可能顺利进行并最终取得成功。

（四）教学管理改革的一系列措施必须是衔接有序的高效操作系统，并且必须以是否有利于人才的培养为标准

教学系统作为一个培养人才的高效系统，是否能够培养出高素质的社会有用的人才是衡量这一系统效能的重要标准。高校的各种教学和教学管理改革都是为实现这一人才培养过程而做出的努力。高校的教学管理改革是为教学改革服务的，教学管理有序的可操作改革措施可推动教学改革的进程。

（五）教学管理改革的目标是提高教师教学和学生学习的有效性

从宏观上看，教学管理改革的途径之一就是创建一种环境，包括科学的管理体制和管理机制，也就是说要建立有效的激励机制、竞争机制，以达到培养高素质的专业技术人才的目的。从微观上看，教学管理改革就是要形成一系列科学合理的、具体的管理制度和管理方法，最大限度地为教师和学生的发展创造最优的环境，调动与发挥教与学两方面的积极性。

二、教学管理改革的理论基础

教学管理活动作为一项庞大的系统工程，仅有丰富的实践经验是远远不足的，在面对日益突出的教学资源短缺、对人才素质的要求和学校培养目标之间的差距等诸多矛盾时，教学管理工作者应该借助系统论的理论和方法，把人本管理理念放在首位，努力提高管理的水平，提高教学的质量和学生的素质，并逐步适应新的教学管理规律。

（一）教学管理系统理论

系统科学与管理有着极为紧密的联系，任何一个有组织的管理单位，任何一件事物，都是一个系统，管理实际上就是对某一系统的管理。高校是一个社会功能系统，由主系统（直接担负培养专门人才任务而进行教学工作的系统）、支持系统（从人力、物力、财力等方面保证教学工作这个主系统进行工作的系统）和控制系统（管理、指挥、调节主系统和支持系统的系统）三个子系统组成。其中，控制系统即为教学管理系统。教学管理本身也是一个复杂的系统工程，也由主系统、支持系统和控制系统组成。教学管理系统是指在高校党委和主管校长的领导下，以教务处为主形成运转灵活、上通下达、有权威、高效率的管理体系。完善的系统化的教学管理体系又由若干个子系统构成，如计划管理、课程管理、考务管理、学籍管理、成绩管理、管理信息控制体系等。

教学管理系统有以下特点。

1. 输入

对于一般的生产来说，输入的是原材料、辅料、待加工品。对于教学管理系统来说，输入的是刚刚进入大学的学生，这些学生是经过千军万马过独木桥考入大学的高才生，可谓是优质原材料。

2. 输出

经过大学阶段的学习、生活、思想各方面历练出炉的"产品"。它不同于一般的生产产品可被直接应用而体现其价值。此处的产品（学生），是要经过转化才能实现其价值，这种转化过程又是其知识、能力的输出过程。

3. 输出和输入的差异

系统价值的增益,体现为学生综合素质的提高。教学管理系统的最直接的目的应该是实现系统增益的最大化。取得最大效益取决于教学管理过程的目标、规划、实施、保障等各个环节的因素。

4. 教学管理系统化

以提高教学质量为核心,以培养高素质人才为目标,把教学过程的各个环节、各个部门的活动与职能合理组织起来,各系统之间相互联系、相互协调、相互促进,形成一个任务、职责、权限明确有机的整体。

5. 教学活动

教学活动是教师、学生和教学管理人员共同参加的多边活动。因此,在教学管理系统化的运作过程中,应充分发挥系统的协调功能,使三方面人员有效地配合,及时了解有关教师的教学效果,反馈学生学习质量的信息,提出新的管理目标,使教学工作和管理始终在一个新起点与高水平的层次上运转及发展。

(二) 人本管理理念

1. 什么是人本管理

近年来,人本管理作为一种新型的管理理念正风靡整个管理界,无论在企业管理还是在行政管理中,人们都纷纷提倡管理要以人为本。那么究竟什么是人本管理呢?顾名思义,人本管理即以人为中心的管理,它要求确立人在管理中的主导地位,其核心思想是管理在调动人的积极性的同时要促进人的全面发展。

2. 遵循人本原则,以个人目标与组织目标的双重实现为目标

现代管理从根本上说是对人的管理,目的在于发挥和提高人的积极性、主动性和创造性,这是管理和事业成功的根本。人并非“工具”,人是有情感、有意识、有追求、有思想的,教学管理也必须遵循“人本”的原则,从人本意识出发,让教师、学生在完成工作、学习任务的同时实现自我价值。人本管理将人本身视为目的,它所追求的是个人目标与组织目标的双重实现。

3. 人本管理是一种管理模式,更是一种新型的管理理念

不少理论工作者和实践中的管理者将人本管理仅视为一种管理模式,这是对人本管理的一种低层次的认识。人本管理是一种新型的管理理念。这一理念贯穿于教学管理活动的各个环节和各个层次,它在与教学管理实践相结合的过程中产生许多具体模式,如学本管理、民主管理、沟通管理、文化管理等。

4. 人本管理是应用于教师和学生两方面的管理

教学管理中树立以学生为中心的教学理念,建立以学生为主体的教学体制,充分尊重学生学习的主体地位,培养学生的自我意识、主体意识和自我调节能力,从人的全面发展着眼来培养人,并在教学管理的方方面面具体予以落实,只有这样才能发挥学生的主动性、创造性,培养其创新精神。同时,更应激发教师群体的积极性与创造性,尊重教师的情感、需求,使他们重视培养、激发与爱护学生的创新意识和创新能力。

(三)教学质量的 PDCA 循环

PDCA 循环方法是美国质量管理专家戴明博士最先总结出来的,所以又称戴明环。在质量管理中,要求把各项工作按照做出计划、计划实施、检查实施效果,然后将成功的纳入标准,不成功的留待下一循环去解决的工作方法进行。这就是质量管理的基本方法,这一工作方法简称 PDCA 循环,其中 P(Plan)是计划阶段,D(Do)是实施阶段,C(Check)是检查阶段,A(Action)是处理阶段。

PDCA 工作方法的四个阶段,在具体工作中又进一步划分为八个步骤。

1. P 阶段

P 计划阶段,有四个步骤:

(1)发现问题,分析现状,找出教学工作中的质量问题。

(2)分析问题。

(3)找出原因(影响因素中的主要原因)。

(4)计划措施。根据上面的分析,制订计划,采取措施。计划措施的制定,要明确采取该措施的原因(Why),执行措施预期达到的目的(What),在哪里执行措施(Where),由谁来执行(Who),何时开始执行和何时完成(When),以及如何执行(How)。

2. D 阶段

D 阶段,有一个步骤:按制订的计划和措施具体组织实施。实行目标管理,把任务目标层层分解到人,落实目标责任。提供实施所需的资源和必要的帮助,确保计划实现。

3. C 阶段

C 阶段,有一个步骤:对照计划,检查实际执行情况和执行效果。

4. A 阶段

A 阶段,有两个步骤:

(1)总结经验教训,巩固成绩,处理差错。

(2)把没有解决的遗留问题转入下一管理循环,作为下一阶段的计划目标。

PDCA 循环方法是质量管理的基本方法。

PDCA 循环方法十分有效,这种有效性源于 PDCA 循环的下述特点:

第一,PDCA 循环不是到 A 阶段就算完结,而是又要回到 P 阶段开始新的循环,按照阶段不停地转,使教学管理者不断主动分析现状、主动解决问题,使教学质量不断提高。

第二,PDCA 循环中大环套小环。PDCA 循环作为一种科学的方法,适用于教学管理各方面的工作,因此整个教学管理工作是一个大的 PDCA 循环,各部门都有各自的 PDCA 循环,直至具体落实到个人。大环指导和推动着小环,小环又促进着大环,使各部门、个人的活动都与教学质量管理的目标统一。

第三,PDCA 循环是在循环中的上升。PDCA 循环的循环不是在原地转动,而是每转一圈都达到一个新的水平,下一轮循环又在这个新水平上向更高的水平转动。

(四)教学活动的运行规律

高校的教学系统可以依据实践范围划分为"小循环系统"和"大循环系统"两个子系统。

这两个子系统及其相互关系,大致反映了高校教学活动的全部过程。小循环系统为专业与课程建构的指导思想和教学思想,对这一部分的研究属于基础理论的研究。专业设置、课程编制、教学方式方法和管理制度等方面的各种决策,都要受这些理论的指导。

任何高校的专业设置和课程编制(具体表现为教学计划、教学大纲的制订和教材的编写)都要在一定的理论指导下进行。输入部分的基础理论,正是通过这个阶段的转化,才具体化为实际的专业设置,教学计划、教学大纲的制订和教材的编写。

根据转换阶段的理论而设置的专业,以及制订的教学计划、教学大纲和编写的教材,便构成了这个子系统的输出。

检验制订出的教学计划、教学大纲和编写的教材是否与输入部分的指导思想相一致,不一致的地方要进行调整;把符合指导思想的教学计划、教学大纲和教材用于教学实践,通过教学过程落实专业培养目标和教学计划中的各项要求。

"大循环"的输出阶段完成的标志是经过教学过程而培养出来的具备了一定知识、能力、素质的人。最后还要根据专业培养目标和教学计划中的各项要求检查输出部分,如发现不符合培养目标和要求的,找出原因,并根据具体情况,或对教学过程进行调整和改进,或对目标和要求进行修订。这一过程即是评价过程,是这个子系统的反馈阶段。

三、高校教学管理改革的思路架构

(一)在观念层面上:转变观念,提高对教学管理工作的认识

为转变许多人对教学管理工作持有的各种不同看法和片面认识、搞好教学管理工作,各级管理人员、领导不仅要明确教学管理在高校工作中的地位,而且应当端正态度,树立正确的教学管理思想。学校以教学为中心,提高教学质量是学校的主要任务。向管理要质量,是许多企业家提出的口号,表明了管理对于产品质量具有关键性的意义。要提高教学质量,必须重视教学管理。对教学实行科学管理,这已经成为学校广大领导干部与教师的迫切需求。那种只重视教学过程、忽视教学管理的认识与做法,被实践证明是片面的。教学管理对高等学校来说是至关重要的,只有一流的管理,才能造就一流的大学。为了提高教学质量,就必须把教学管理工作提到一个新的高度来认识。

(二)在制度层面上:建立和健全教学管理制度,促进教学管理工作的科学化、规范化

教学管理规章制度是教育教学理念、教学管理指导思想和习惯性管理方式的表现形式。好的规章制度,应该既有利于建立规范的教学秩序,同时,又要符合教育教学和管理科学的内在要求,有利于调动教、学、管等各方面的积极性,有利于推进教学改革,有利于提高人才培养质量。教学管理工作具有一定的规律性、有序性和时效性。面对成千上万的学生和教师,教学管理工作必须规范化。建立和完善教学管理的各项规章制度,制定各个教学环节的规范要求,使学校的教学管理有章可循有法可依,把严格管理贯穿于人才培养的全过程。教学管理规范化是教学管理工作发展的必然要求,是提高教学质量和办学效益的重要途径;教学管理规范化是向管理要效益,求发展,求生存,把思想上对教学管理的重视落实在行动上;教学管理的规范化是要通过动员各方面的力量,制定出切实可行、行之有效的

系列规范的规章制度,并严格按章办事,以"法"治校、以"法"治学。从"教"方面:就是要建立科学的教学质量考核等各类教学评价体系,公正的教学成果等各类优秀评定奖励办法,严格的教学检查等各类常规的监控甚至惩罚的措施等。从"学"方面:就是要建立起一整套严而不死的学籍管理制度、科学合理的综合测评办法、灵活而富有激励性的学习奖励措施等。

(三)在机制层面上:建立教学监控体系,有效实现对教学过程的管理

教师和学生是教学过程中的两个重要参与者,教师教学质量的好坏直接关系到学校教学水平的高低,制约着学生知识能力的提高,而学生作为受教育的对象,他们在教学过程中的反馈意见又对教师教学质量的提高起着重要作用。为此,建立一套科学的教学监控体系,有效地实现对教学过程的管理,对于促进学校教学工作的顺利开展和教学质量的稳步提高有着十分重要的意义。

在质量目标管理方面,要抓好人才培养方案和教学大纲的制定与实施,维护实施教学计划的严肃性和组织教学工作的规范性,确保正常、稳定的教学秩序;要重视课堂教学的质量管理,加强对教学过程的控制,要把教学管理的重点从传统的质量检查和事后把关,转移到对创造教学质量的全过程的控制上,把好教学过程各环节质量关;要建立领导、同行听课制度,全面了解教学运行情况;要实行教学督导,对学校理论教学、实践教学工作实行全面督导;要建立学生信息员制度,重视教学信息的采集、分析和反馈,通过多种信息渠道,全面了解学校教学状态,及时将信息反馈给有关部门和领导,使教学工作及进度得到调控。建立一个适应学校内部教学质量评价的指标体系,开展教学评价,包括课程建设评价、专业建设评价、教学质量评价、毕业设计质量评价等,以评促建,以评价促进教学质量的提高。

(四)在方法层面上:改进管理方法和管理手段,逐步提高教学管理水平

为了紧跟时代发展步伐,从容应对教学管理工作面临的挑战,我们必须彻底抛弃原先惯用的一套"等、靠、要"的陈旧的工作作风,有效改进教学管理方法和管理手段,不断提高自身管理水平和工作效率。一是管理人员要在教学管理工作的制度化建设基础上和现代管理理论的指导下,科学统筹,合理规划,具体分工,积极有序地开展各项工作。教学管理工作门类繁多,教学管理人员应在熟悉整个管理工作环节的基础上,将其科学地分门别类,严格实行管理目标责任制,从而形成一个"制度约束管理人员,管理人员按章办事;事事有人管,管理工做出成绩"的良好工作局面。二是管理人员要有效地学会运用现代管理手段,尽快实现教学管理工作的科学化、规范化。作为管理工作的具体执行者,教学管理人员应在科学统筹和具体实践的基础上,积极采用计算机辅助管理,如通过建立教学管理电子档案,有效地实现对院系的各类文件资料的合理分类、整理和归档;通过学生成绩管理系统,科学、高效地实现学生成绩的传输、分析、查询和存档等。三是教学管理人员要紧跟时代发展步伐,有效地利用校园网、互联网,加强和各兄弟教学管理单位之间及国际、国内社会的沟通,提高教学管理和相互交流的便捷程度,以及时获取有效信息,更新观念,提高自身管理水平。

(五)在行为层面上:改变单一的行政化的教学管理模式,采用刚柔并济的管理模式

如果说工业时代的教育是一种"标准化"的教育,与之相应的教学管理是强调统一性的行政化的"刚"性管理,那么知识时代的教育则是鼓励创新的教育,与之相适应的教学管理应是具有较高理智水平的"柔"性管理,在研究人们心理和行为规律的基础上,采用非强制方式,在人们心目中生成一种潜在的说服力,从而把组织意志变为自觉行动的一种管理。

高校教学管理组织中常规管理工作及其规范化和制度化可称为封闭系统要素,应实行规范化的"刚"性管理;而那些用来发展更大的开放性、参与性、创造性以及个人主动性的要素,可称为开放系统要素,应实行"柔"性管理。规范化、制度化使教学管理工作在封闭系统中能高效率地运转,管理系统的开放性要素,它要求系统内管理者的管理工作必须具有创造性和个人主动性。"必须把管理的照章办事原则看作可调整的行为指南,而不是作为管理实践或组织行为的戒律"。因此,对教学管理组织来说,正确区分两类因素,采用不同的管理方法,并使二者有机结合、及时协调是提高教学管理效益的重要方法之一。

(六)在管理改革创新层面上:开展管理改革创新,加强对教学管理工作的理论研究和试验,积极推动教学管理工作发展与时俱进

"创新是一个民族的灵魂,是国家发展的不竭动力"。在当今这个竞争激烈的社会中,改革创新更是生死攸关的大问题。作为高校教学工作的具体执行者,教学管理人员掌握着大量利于学校发展的有用信息,如社会对高校培养人才的具体要求,学生对学校教学工作的反馈意见等。因此,我们必须全面摒弃长年以来那种简单的"上传下达"式的被动工作习惯,在提高自身管理水平的同时,积极开展管理工作的改革创新,推动高校教学管理工作的持续发展。如善于跟踪校内外甚至国内外教学管理的前沿动态,多学旁通,并结合本部门实际灵活运用;认真思考和研究社会发展对高校教学工作的具体要求,探索和实践新的人才培养模式,促进"以人为本"的育人环境和机制的建立与完善;根据学校人才培养目标和社会对所需人才的具体要求,坚持不懈地推进学科、专业和课程建设;针对教师教学工作实际情况及学生的反馈意见,积极促进教学手段、教学方法的改革创新,提高教学质量;从管理机制及工作现状着手,积极有效地推动教学管理模式的优化,提高教学管理人员的管理水平和工作效率等,从而有效地促进高校教学管理工作发展与时俱进。

第四节　高校教学管理的问题和改革创新策略

一、我国高校教学管理的问题

长期以来,我国的高等教育事业取得了长足的进步和辉煌的成就,但仍存在不少弊端,主要表现在以下几方面。

(一)教学管理体制和管理制度不利于人才培养

所谓体制是指国家机关、企事业单位机构设置、相互关系和责权划分的制度。教学管理体制是指教学管理的机构、管理主体的权限及其相互关系的根本组织制度。受原有计划体制的影响,上级教育行政部门对学校统得过多、管得太死,致使高校教学管理的封闭性、计划性、统一性强。如采用统一的大纲、教材和命题考试等。招生和专业设置也由上级层层审批,学校缺乏一定的自主权。全国教育体系大统一的格局使教育机制缺乏灵活性,牵一发而动全身,使得任何微小的变革都难以进行。这在一定程度上阻碍了学校自身创造性的发挥,不利于学校按自身特点培养人才。

在学校内部管理中,一方面统一性和约束性过强,求同多,一刀切。如在教学计划管理方面,弹性、灵活性不足,学生转学、转专业、选课、缩短或延长学制等方面限制很大;教学评价方面,学生考试评分、奖学金的评审、评优等也划一、求全,统一性和规范性过强。这虽然有利于学生养成遵规守纪的习惯,系统掌握书本知识,发展认知能力,但忽视学生个体差异性,不注重学生个性发展,使师生教学自由度不大,教师缺乏施展创造性的积极性,学生缺乏学习选择权,自主活动的时间少,自我发展的余地小,知识结构和思想也容易雷同,导致学校办学千校一色,教师教学千篇一律,学生发展千人一面。许多高校办学无特色,教师无特点,学生无个性,都被铸造成一个模子出来的"标准件",不利于一些"偏才""怪才"的脱颖而出与成长。

另一方面,教学管理有时走向另一个极端,即过于宽松、疏于管理,导致教师教学、学生学习的压力不大,动力不足,活力不强,缺乏紧迫感、危机感。教师若干年抱一本教材转,一个讲稿用几年,一门学科吃一辈子饭,成了名副其实的"教书匠",很少进行科学研究。许多学生专业思想不牢固,无心学习,60分万岁,得过且过。

上述教学管理体制和管理制度必须予以改革,以解放学校、解放老师、解放学生,为人才培养提供强有力的保障。

(二)专业设置强求一律,实行统一的目录管理

高校培养人才主要通过设置专业并制定相应的教学计划和课程体系来完成,我国现行的普通高校专业设置主要通过公布专业目录,实行强求一律的大一统式管理。1980年我国普通高校专业共1 300多种,1984年813种,1993年504种,现在仅有200多种。导致有的专业口径狭窄,有的专业面过宽。分工过细时,专业面窄,难以培养大师级的人才。而大学毕业生要有所发现、有所创造,善于在复杂多变的环境中迅速思考和准确判断,则必须具备深厚的基础知识和宽广的知识面。专业口径过宽时,学生难以深入地钻研,考虑问题缺乏深度。

(三)教学计划管理缺乏弹性,课程体系、教学内容与时代步伐不适应

我国大部分高校仍执行学年学分制的教学计划,计划性过强,师生回旋的余地小。课堂教学学时量大,学生自学时间少。同时,在具体课堂教学中,要求教师传授系统知识,有时因为讲授内容多与学时有限的矛盾,有的老师不得不"一言堂",如果想多给学生讨论、思考或发现的机会,就不能按时完成教学大纲规定的教学任务。

课程体系编排不合理,必修课占绝对主导地位,选修课所占比例很小,最高为35%,最低不到10%。选修课范围狭窄,通用性差,甚至个别高校的选修课竟是原来的必修课,因此学生选择面窄,而国外选修课所占课程比例一般在40%左右。

课程教学内容的前沿性、先进性不够。我国现行课程脱胎于两次"移植"。其中,1916

年蔡元培担任北京大学校长以后,我国课程采用体现民主、科学精神的西方资本主义式的新大学课程体系。1952 年,我国向苏联学习专业教育模式,采用其教育文献资料、教学计划、教学大纲和教材。因而,"科学主义"和过分"专门职业化"的课程一直延续至今。具体特征表现如下。

1. "传授知识"取向

以传授一般性或基础性知识为己任,受凯洛夫主编《教育学》影响,课程以一门学科的基本知识和技能为核心,学生掌握了双基,就等于发展了智力。前上海中学校长、特级教师唐盛昌说:我们从小学到大学的课程设置、教育方法、教学思想,都是培养解题者,而非出题者,我们的学生能把题目做得漂亮,但开辟新领域,在某一学科提出新论点、新的研究方向就不行,这种导向将产生严重后果。

2. "科学主义"取向

编制课程重知识逻辑结构,轻知识发展历史过程;重知识纵向研究,轻知识应用和相互渗透;重传授经典,轻现代思想,课程内容更新慢。20 世纪中叶以来,科技发展的许多新内容不能及时进入课程,同时一些过时内容又来不及从书本中剔除,有的教给学生的知识不等毕业就已经过时。其中基础课显得特别突出,许多内容几十年不变地教下来,严重影响了人才培养的科学水平。

3. "专业职业化"取向

大学的课程编制以"专门化"为显著特征。最初培养规格过分屈从于社会需要,强调为专门行业、职业、岗位培养人才。所以课程编制关注知识积累、学科结构和学科逻辑,关心整齐划一的培养目标,几乎不关注人和人的发展,更忽视对学生个性自由发展的保护和促进。这导致人人关心满足个人需要而缺乏共同责任感,大学生人文素质和文化品位日益下降。而且课程分类越来越细,农业、经济、法律、医学、理、工、师范等各科课程融合性极差,除外语、政治课外,几乎少有通识和文理渗透的大学课程。面对科技高度分化基础上出现的高度综合的趋势,通过传授定向性专业知识与技能来满足特定职业需要的我国大学课程陷入捉襟见肘的尴尬局面。

(四) 考试制度、模式日益凝固化

以继承为主导的考试制度以考试为中心,考试方法单一、死板,以标准化的试题、规范化的答案和书本上现成的结论为绝对的量化标准来考核学生和评定成绩。以就业为目标,考什么就教什么。学生平时记笔记,考前背书、背笔记、背标准答案,在题海中挣扎。教师则忙于命题、阅卷。只重视学生考试结果和分数,重视合格率、优秀率,不重视评价学生学习过程、学习方法、解决问题的独特性和平时成绩。重视知识记忆考试,而不是综合素质测评,要求学生机械地再现原有的事实和理论。有的甚至以记忆效果为唯一标准,很少让学生发表自己的见解,轻视学生的创造和探究活动,结果只是培养了一大批考试高手。这种旧模式严重影响学生自由、活泼、生动、有鲜明个性的全面发展,远不能适应创新人才培养的需求。虽然我国学生基本功好、书本知识好、考试成绩好,但大多数学生的想象力贫乏,动手能力、演讲能力、创新能力不强。

(五)对教师教学方式、师生关系的引导和管理不力

高校教学管理对教学改革的管理和师生关系的引导缺乏强有力的措施,致使现行教学水平和教学状态还不适应培养人才的需要。现行教学是以继承人类已创造的成果为目的的守成教育,教师比较习惯老一套"述而不作、坐而论道"式的传授方式,采用传习性、因袭式的教学方法,不注重创造的过程,不注重对现有知识进行批判、改造,忽视学生独立学习、研究和创造精神的培养,对学生的标新立异、好奇心等思想火花重视不够。思维方式上强调循序渐进,忽视跳跃式思维。而灵感往往是突发式、飞跃式的,要及时捕捉才行。加之教学管理不力,导致高质量的课堂不多、低质量的课堂不少。大学生智力结构不合理,表现为记忆力较好、创造力较弱,不善于运用已记忆的概念创造性地回答和解决问题。

(六)实践教学环节的设计和管理不够科学

教育思想的源泉是教育实践,如教学实习、专业实习、毕业论文(设计)、实验课等。与国外一些高校相比,我国高校的实践课教学主要存在两大弊端:一是教学实习、专业实习、毕业论文(设计)以及实践课时数少,一般为总课时的 10%～20%,而国外则为 35%左右。二是对实验课重视不够。国外的实验课是一个独立的体系,与课堂教学具有相同重要的地位,尤其重视学生创造性实验的开设,以开发学生智力、提高其动手能力。而我国实验课依附于理论课,处于辅助地位。在实验过程中,学生往往只是以"观察者"的身份记录实验数据,了解实验现象,加深对课堂教学的理解,停留于基本实验的操作阶段。三是实验内容以验证性为主,没有设计性、创造性的实验。对于让学生运用理论知识去开发创造的实验大多高校很少顾及。从根本上讲,学生缺乏实践性知识和动手能力。

二、我国高校教学管理改革创新策略

(一)转变教学管理思想、更新教育观念

高校领导对教学工作的重视程度是影响教学质量的重要因素,也是教学管理体系有效运转的前提。这就要求高校领导在高等学校发展过程中具备责任感、紧迫感,不断进行研究,提高对高等学校教学质量保障理论的认识,才能有效提高教学质量,培养高素质创新人才。

当前,各级教学管理部门应结合高等教育改革精神,围绕学科专业建设、人才培养模式设计、日常教学运行、教学质量评价等教学管理的重点、难点问题,抓住机遇,厘清思路,乘势而上,进一步广泛深入地进行转变教育思想、更新教育观念的学习和讨论,提高对教学管理工作的认识。

1. 学科建设方面

在学科建设方面需要转变和更新的观念是:特色是学科发展的生命,发展学科特色,打造学科品牌,是建设高水平大学的突破口;学科专业设置要充分体现学校的办学定位和综合优势,突出特色,转变片面追求专业数量、规模和层次的观念;要根据学科和社会发展的需要,适时进行专业设置和学科方向的调整,增强专业的适应性。良好的硬件环境是学科发展的物质基础,是学科建设的先行条件;科学规范的管理是建设高水平学科专业的保证。

2. 人才培养模式方面

在人才培养模式方面需要转变和更新的观念是：把素质教育、创新教育贯穿于人才培养的全过程，坚持通识教育与专业教育并重，学问修养与人格修养并重，知识、能力与素质并重，做到人文素质教育不断线；针对不同培训对象坚持因材施教，实现人才培养模式多样化；人才培养模式改革必须落实到课程体系、教学方式和管理方法等方面。

3. 学生日常教学管理方面

在学生的日常管理方面需要转变和更新的观念是：宽松的环境是学生个性发展和创新的前提；尊重管理对象身心发展规律，坚持以人为本的管理思想，为培养高素质创新人才创造合理的机制和良好的环境；任何一项教学管理制度、措施都要有利于充分调动学生的积极性和创造性，有利于培养学生的创新精神和实践能力；转变教学管理职能，摒弃保姆式、封闭式管理方式，实行刚柔并济、宽严适度的弹性管理；正确认识和处理统一要求与个性发展的关系、严格管理与营造宽松学习氛围的关系、行政管理与学术管理的关系，确立"大管理"观念，把教书育人、科研育人、管理育人、服务育人、环境育人有机结合起来。

4. 强化质量管理方面

在强化质量管理方面需要强化的观念是：观念的转变与创新是教学质量管理创新的先导。此外，学校还要进一步明确办学指导思想，不断强化质量意识。大学教育最根本的任务是培养符合社会市场需求的高素质人才。在大学教育所涵盖的教育层次中，本科教育是基础，本科教育的质量是构筑一所大学的学术地位和学术信誉的基石。为提高本科教学质量，首先要增强质量意识，将人才培养质量作为衡量学校办学水平的根本标准，高校领导和教职工都应该达成共识。首先，学校要定期召开全校教学工作会议（研讨会），并通过专家讲座、编印教育研究资料等多种形式，在全校上下广泛深入地开展新时期教育思想观念的宣传、学习与研讨，帮助广大师生员工树立融知识、能力、素质于一体，通识教育与专业教育相统一，全面发展与个性发展相结合的全面素质教育质量观。其次，要在全校牢固树立"高等学校的根本任务是培养人才，教学工作始终是学校的中心工作""人才培养的质量是高等学校的生命线""加强本科教学是提高整个高等教育质量的重点和关键""深化教育教学改革是高等教育发展的动力"等意识，切实把加强教学管理看作学校各项工作的重点。最后，学校党政一把手作为教学质量第一责任人要亲自抓教学质量，定期召开教学工作会议，及时研究解决本科教学工作中的新情况、新问题，不断推进学校的观念创新、制度创新和工作创新，将学校的本科教育质量提高到一个新水平。

5. 教学资金投入方面

为了提高本科教学质量，确保规模与质量协调发展，学校必须采取多种措施，加大教学经费的投入，优化教学资源配置，从硬件和软件上努力改善教学条件。因为管理的优劣、条件的好坏直接关系到教学质量的高低，这主要体现在两个方面，一方面是加大硬件的投入，需要学校积极开发创收或筹措资金的渠道，不能单靠政府的拨款；教学的硬件条件要保证经费的集中投入，使资源得到优化配置，避免重复购置现象，可集中资金投向重点项目，确保资金用在刀刃上，提高仪器设备的现代化水平和使用效率，而且要跟上信息时代的步伐，尽全力配备现代化的设备。另一方面就是对教学软件条件的改善，这一点往往容易被忽视。软件的建设要求学校紧抓管理,提高管理水平,结合实际情况制定相关的管理条例、奖惩细则。管理人员自身要恪守职责,努力做好自己的工作,保证管理的科学、规范和有效。首先,学校要对陈旧的教学方法和手段进行改革。落后的教学手段既限制了课堂的信息量,又限制了学生的思维空间,不利于调动学生学习的积极性,因此,学校要加快教学手段的现代化,加快计算机辅助教学软件的开发和推广使用,改革多媒体管理办法,提高多媒体教室的利用率;同时要改革"灌输式"以及在教学过程中偏重讲授的教学方法,积极运用启发式、讨论式、研究式等方式进行教学,推广使用案例教学法、参与式教学法、课程设计式教学法等教学方法,要灵活运用讲授法、评论法、调查法、练习法,培养学生的实践能力和自学能力,最终引导学生学会学习。其次,学校应以增加数量、提高素质、优化用人机制为重点,要着力加强教学师资队伍建设。要大力推进教授上讲台、加强教师和管理人员在职培训、鼓励教师开展教学研究、开展教学名师评选和青年教师讲课比赛等活动,以此提高教师的综合素质。硬件和软件两手齐抓,只有两方面都抓紧了、落实了,教师的教学科研、学生的学习生活有了优越的环境,教师的教和学生的学才能有质量、有效率。

(二)建立健全教学管理制度

加强制度建设、完善和严格执行教学管理制度是保障教学质量的有效措施,是提高教学质量监控水平,并使教学管理制度科学化、规范化的基础性工作。

1. 建立健全教学管理制度的方法

教学管理制度既是组织实施教学活动的依据,同时又对教学活动具有重要的导向作用。教学管理创新的核心是教学管理制度的创新。推进教学管理现代化,教学管理制度创新是关键。

首先,建立健全教学管理制度,必须以高等教育学、教育心理学、管理科学等学科理论为依据,充分体现教学管理制度的科学性。教学管理是一项复杂的涉及多学科、多领域的实践活动,创新教学管理制度,必须透过纷繁复杂的教学管理现象,揭示教学管理活动的本质,使教学管理制度具有可靠的科学依据。高等教育学是研究高等教育现象及其规律的科学,对高等教育的性质、目的、内容、特点都做了理论性的阐述。在创新教学管理制度时,必须遵循高等教育学的基本原理,反映高等教育的特点规律;遵循教育心理学的基本原理,反映教学过程和学生身心成长基本规律;遵循管理学的基本原理,灵活运用管理学的有关原则,提高教学管理的效率和效益。

其次,建立健全教学管理制度,必须推进院校教学立法进程,建立配套完善的教学管理法规体系,充分体现教学管理制度的完整性。健全的法律法规是现代教育管理的基础,坚持依法治教,使普通高校教学管理有法可依、有法必依,是教学管理现代化的重要特征。从高等教育改革开展以来,高等学校教学管理法规制度建设取得了重大进展,根据各自的办学特色,专门制定了很多重要的法规制度。这些法规制度充分体现了教育教学改革的一系列思想,是教学管理制度创新的重要成果。但是,从总体上看,高等学校教学管理法规制度建设仍然滞后于推进现代化教学的客观要求,主要是教学管理规章制度体系不够完善,部分领域法规制度存在空白;一些已有的规章制度没有及时进行修改,部分规章制度之间不够和谐统一;微观教学管理规章制度建设滞后于宏观教学管理规章制度建设。因此,推进教学管理现代化,必须高度重视教学管理法规制度建设,科学规划,突出重点,注重质量,尽快建立完备的教学管理法规体系。

再次,建立健全教学管理制度,必须着眼培养全面发展的人才,把近年来高等学校教学改革的成功经验上升到制度层面,充分体现教学管理制度的先进性。近年来,围绕培养全面发展人才,各高校在教学管理制度改革方面进行了大胆的探索,建立了适合不同院校、学科专业及培养对象特点的各具特色的教学管理模式。

最后,建立健全教学管理制度,必须立足院校实际,开阔视野,广泛吸收、借鉴各高校教学管理制度改革的成功经验,制定科学合理的适合各高校实际情况的教学管理规章制度。如在培养制度方面,积极实行学分制、创新学分制、重修制、导师制、辅修专业、第二学士学位、弹性学制等制度,减少必修课,增加选修课,建立大学生创新教育基地;对拔尖人才,在条件允许的情况下,实行跨年级、跨专业、跨院校培养和本硕、硕博连读制度;在考核制度方面,实行教考分离、学生综合素质考评制度;在教学质量监控方面,实行教学督导制度、教学信息员制度,形成学生、教师、管理部门共同参与的教学质量评价和监控体系;在教师管理方面,实行教师资格认定、任期考评、科学专业首席教授、特聘岗位、挂牌上课、教学质量一票否决等制度,建立教学改革立项制度,鼓励教师进行教学改革和创新;在校内教学管理体制方面,形成权利、责任和利益相互制约的格局,建立分层负责的教学管理机制等。只有把上述制度建立起来,高校教学管理体系的构建才有制度保证。

教学管理制度是教学管理体系的基础。教学决策和教学计划都是通过教学质量管理制度来进行的,所以一套正确的、合适的教学管理制度对学校各方面工作均有一定的规划指导作用。

2. 建立健全教学管理制度在实践中的注意事项

高校在对学校的教学管理体系与运行机制进行较为深入的研究的基础上,在实践中应重点做好以下几方面的工作。

第一,在构建教学管理体系过程中,要实行学校、学院、系(教研室)三级教学管理体制。学校成立教学委员会,在校长领导下,对全校的教学改革、教学建设及教学管理等工作中的重大问题进行决策、咨询、审议和监督;教务处作为职能部门,是学校实施教学宏观管理、目标管理的管理机构,重点实施教学质量的宏观评价、监督和检查工作。各学院成立教学指导委员会,定期研究教学工作中的重大问题,提出加强教学管理、提高教学质量的建议;建立院长负责下的教学管理制度,即由教学院长、教学秘书、教学干事全面管理教学工作。系(教研室)根据专业教学计划,制订本系(教研室)的教学工作计划,组织教师制订和实施教学大纲、选用或编写教材、实验实习指导书和教学参考书,开展教学研究和教学改革,积极进行教学建设,加强教学质量管理和系(教研室)人员的考评工作,实施和监督教学过程。

第二,加强基层教学组织建设,如在教务处新设立教学质量和实践教学科,并倡导建立学术型教学管理组织;各教学单位是教学实体,全面负责本单位的教学、科研和社会服务等计划的制订与实施,具体负责课程建设、专业建设、学科建设、师资队伍建设、实习基地建设、教材建设、教学质量监控与评估、教风学风建设、院系教学管理队伍建设,以及学生的学籍管理和教学秩序的管理与监督。

第三,推进学分制管理改革,制定一系列学分制教学管理制度。这样既能给学生创造宽松的学习环境,又能提高学生学习的积极性和主动性,以满足学生的个性发展需要。

第四,引入激励竞争机制,充分调动全员参与教学管理的积极性,激发教、学、管三方面的活力。

第五,规范和完善教学计划的质量管理。一是专业培养计划制订须遵循德智体全面发展的原则,注重学生知识、能力、素质的协调发展,体现知识结构和课程体系的整体优化,控制总学时,放活选修课。二是课程教学大纲制订要符合培养目标的要求,服从课程结构与教学安排的整体需要。三是各专业制订的实践教学大纲要充分体现培养大学生创新能力、实践能力和创业精神等要求,坚持高起点、有突破的基本方针,体现科学性、前瞻性和可操作性,把产、学、研结合作为主线贯穿于实践教学体系之中。

第六,制订一整套的教学管理文件,如教学管理、学籍管理、教材建设和管理、有关教学计划和课程管理、理论教学的管理、实践教学的管理、教学改革和教学研究的管理。此外,教学工作的管理还应当关注教师管理、教学资金管理、实验室建设、教学仪器设备管理、图书馆管理、体育场地管理、学生课外活动管理等方面。

(三)改进教学管理的方法和手段

推进教学管理手段现代化是高等院校教学管理适应社会进步和科学发展的必然选择,是教学管理现代化的重要内容,是提高教学管理质量和效率的有效途径。

1.要加强教学管理队伍素质建设

教学管理人员作为学校教学管理政策的制定者和执行者,必须具有良好的思想政治素质和较高的业务素质,才能对提高教学质量起到促进作用。每一个教学管理者都要树立全新的质量意识,明确管理就是服务,在自身的工作中,按照教学规律要求,把每个教学活动中各种要素尽可能优化组合,充分利用学校现有的教学资源,尽可能为师生的教学活动提供合理的安排和有利的条件。应对教学管理人员进行经常性的业务培训,提供进修和攻读高一层次的学历的机会,以完善知识结构,提高理论水平和业务能力。要定期开展教学管理方面的学术交流活动,研讨教学管理理论及教学改革趋势,关注和把握人才培养的新情况、新问题,不失时机地开展教学改革。教学管理队伍要有一个合理的结构才能使教学管理工作高效、合理、正常地运行,才能提高教学质量,在新形势下不断改善教学管理模式。

2.在教学管理队伍中建立竞争机制

通过竞争,激发教学管理工作的活力,使整个教学管理队伍显得生机勃勃。要建立健全教学管理岗位责任制,进行严格的定编、定岗、定职责,将职责落实到每一个教学管理人员。通过每一位人员尽职尽责的工作,来保证整个教学管理的质量;要健全竞争上岗机制,为教学管理人员创造公平、公正、公开的竞争舞台和发展机会,通过竞争实现优胜劣汰,提高教学管理人员整体素质;要采取有力措施切实解决教学管理人员的工作条件、工作环境、职称地位和待遇问题,使他们安心做好教学管理工作。

3.要树立教学研究与科学研究并重的意识

优秀教师首先必须是一位教学研究型教师,积极开展教学研究是每一位教师的基本职责和任务。要强化教研室在教学研究、教学改革中的目标和责任,精品课程、特色专业等要有相应的教学研究项目和教学成果作为支撑,各学院要组织力量对专业、课程、教材、教法开展专门、系列研究,鼓励教师对学生、学法、学风、学生能力素质开展深入、系统的研究,同时要加强科研工作,树立科研与教学并重的观念,以科研促进教学,提高教学质量。

4.规范教学管理

教学管理的规范化需要通过动员各方面的力量,制定出切实可行、行之有效的规章制度,并严格按章办事,以法治校,以法治学。在"教"方面,就是要建立科学的教学质量考核等各类教学评价制度、公正的教学成果等各类优秀评定奖励办法、严格的教学检查等各类常规的监控,甚至惩罚的措施;在"学"方面,要建立起一套严而不死的学籍管理制度、科学合理的综合测评办法、灵活而富有激励性的学习奖励措施等。

5.加强教学管理信息化和网络化建设

建立一个符合校情的完善的教学管理信息系统,可使学校管理实现宏观调控和微观处理,使统计、评估和决策建立在更科学的基础上,有利于学生根据自己的情况和不同的教学环境选择课程及进行网上答疑、成绩查询等,从而充分发挥学分制的优点。另外,信息网络的使用可使教学管理信息资源达到共享的目的,提高管理的效益和质量。信息技术、网络技术等高新技术的飞速发展及其在教育领域的广泛应用,为教学管理手段的创新发展带来了机遇和挑战。从发展趋势看,信息网络技术已经开始广泛渗透到教育和教学的全过程,并将进一步推动教育思想观念、教学模式、教学管理手段的全面变革。以计算机网络为物质技术基础构建教学管理信息化平台,实现教学管理网络化、信息化,是教学管理走向现代化的重要标志。

因特网的实现,是信息产业化的一大进步,数字化、网络化迅速地改变着人们的生产方式、生活方式、交往方式。教学手段的现代化也正在对高等学校教学质量的提高起到毋庸置疑的重要作用。多媒体教学的采用,使课堂教学的密度极大地增加,直观性更强,教学效果明显提高。在教学管理(如招生管理、学生成绩管理、学籍管理、课程管理、信息查询等)方面,都应实现网上运行管理,以提高工作效率。学生撰写论文,上网查询资料,会极大地增加信息量。因此,努力实现教学与教学管理手段的现代化,开通可以使用的各种网络和建立校园网络,是现代化高等学校的一项紧迫任务。

6.运用现代教育技术手段提升教学水平

要加强对现代教育技术和手段的学习、研究与应用,加快计算机辅助教学软件的研制、开发和推广应用。大力开发校园网的教学与教学管理功能,教务处通过校园网公布专业人才培养方案和课程教学大纲,充分利用校园网上丰富的教学资源,开展网上教学,以提升教学水平。

(四)建立目标管理与过程管理相结合的教学管理模式

当前我国的高等教育模式多限于传授学科、专业的基本知识和技能,以及发展学生的语言与逻辑思维能力,以培养社会需要的、从事简单技术操作和技术应用的劳动者。这样的教育模式远不能适应新时代高科技、多元文化和知识经济发展的需要。高等教育的教学应该注意其社会性、先进性、发展性、创造性和实用性,并以此为指导,转变教育思想,深化教育教学改革,重新审视和改革专业设置、培养目标、课程内容、教育教学方法和教学设施。

教师是教学过程的实施者、组织者和主导者,在教学改革中占主体地位。教师的教学改革不是简单追求形式、手段的翻新,而是要突出学生的个体和主体作用,培养他们的独立自主意识,开拓创新精神,自主学习、实践、研究和创新的能力。所以,深化教学改革,学生的参与是很重要的,无视教育对象的教学改革是不能成功的。

此外,要建立目标管理与过程管理相结合的教学管理模式。为了使目标管理在教学管理工作中有效运作,我们应从以下几个方面着手。

1.深入调查研究,确定工作目标

要实施目标管理,首先要确定教学管理工作目标。我国高校教学管理工作的总体目标是非常明确的,但各级各类不同层次、不同类型高校的工作目标是有差异的,每一所学校的工作目标既要体现自身特色、符合本校实际,又能体现总体目标。如何确定自身的工作目标,是一项非常重要的工作。为了有的放矢,必须进行深入的调查研究,主要围绕学校目前的教学管理工作进行调查。

2.贯彻落实教学管理工作目标

工作目标一经确定,贵在贯彻实施,否则,再好的蓝图和设计也不过是一纸空文。目标管理强调的是全员参与互动。任何的单向行为都会导致管理的失败。高等教育管理的本质是调动教师、管理人员、学生三个方面的积极性。近年来,由于高校扩招,特别是一般院校生源质量下降,学生学习的积极性、自觉性不够,加上管理人员与教学人员的工作积极性没有充分调动起来,提高教育教学质量的目标受到严重影响。因此,我们关键是要以人为本,充分调动各方面的工作积极性,使教学管理工作的总体目标得以有效实现。

(五)建立健全教学管理的质量监控和信息反馈系统

建立健全高等教育教学质量监督保障体系是保证高等教育教学质量的关键。建立学校内部教学质量保证和监控体系,是高校主动强化自身评价、提高教学质量和整体办学水平、促使教学管理走向成熟和规范的具体体现。实践证明,建立健全科学、完善、有效的教学质量保证和监控体系,对于促进教学质量的提高、保证人才的培养质量具有重要作用。

在建立全方位教学质量监控体系方面,应主要做好以下几方面工作。

一要注重管理制度建设,这是实现规范化、科学化管理的关键。制度建设应包含制度创新,以实现创新人才的培养。

二要全过程监控,如建立贯穿期初、期中、期末的教学检查制度。

三要实现网络化监控,包括以校、院教学管理部门为主的教学监控链,以学生信息员、教学督导员等为主的信息反馈链,以学生管理部门为主的学生管理链。

四要多渠道监控,如评教评学、毕业生调查、学情调查、教学工作例会制度等。

五要多形式监控,如考试监控、考核监控、制度监控等。

六要健全质量管理队伍。学校要健全教学质量管理的队伍,包括来自教师、学生、管理人员以及社会几方面的质量管理队伍与监督队伍。

七要加强教学质量检查,包含对影响教学质量的各个环节和方方面面的检查与控制。

八要完善各类教学评价。

九要建立校内外监督体制。校内督导组、校外政府(包括教育行政部门)的监控作用被教学管理者所重视,但学生家长和用人单位的监督评价作用则往往被教学管理人员所忽视。我们应制定家长调查问卷和用人单位跟踪制,让社会定期反馈信息。这些信息往往是最前沿的、最直接的,是决策者制订方案的直接依据。完善的监督体制会促进教学质量不断提高。

另外要建立多渠道的教学质量信息反馈网络,采集包括教师的教学效果信息、学生的学习质量信息、管理者的管理效能信息以及用人单位对毕业生质量的反馈信息。

一是建立各种信息反馈制度,由各职能部门定期汇总、汇报教学质量信息。

二是通过期初、期中、期末的教学检查,教学管理部门和校、院两级领导干部听课以及教学督导组收集有关教学质量信息。

三是建立学生信息反馈网。

四是建立教师信息反馈网。

五是建立毕业生信息反馈网。

(六)创新教学管理机制

要做到真正意义上的教授治校,充分发挥教代会民主监督作用,要严格监督学校领导及管理者对管理法规制度的制定和贯彻执行。将学术管理与行政管理分流,探索新的教学管理体制。特别要强调废除名目繁多的评奖与选拔,还高校以安静的治学环境。真正的学术创新,既需积累,也讲机遇,往往不能以常理推测。建立规章制度,加强学术管理,对于中国大学来说,至关重要。大学的管理工作,应包含对"人"的尊重,以及对"创造性劳动"的理解。前者涉及"尊师重道",后者则不妨称为"放长线钓大鱼"。如此具有弹性的、不乏人情味的管理,方能营造一个有利于产生学术大师的良好的研究环境。健全的管理体制离不开完善的管理理论研究支持。开展高校教学管理体系研究应做到:

一是立足于社会主义办学方向和人才培养目标,认真研究创新教学管理的基本理论、体系、方法和原则。

二是在分析高校与政府、社会中介组织之间相互关系基础上,研究新形势下我国高等教育管理体系的主体、目标、结构、功能和特征等。

三是在高等教育改革与实践以及全面实施素质教育基础上博采众长,建立科学合理、符合实际、具有前瞻性和导向性的分类教学质量标准与评价体系。

第二章 新时期高校教学管理模式创新

第一节 教学管理模式概念

"模式"一词,在现代东西方自然科学、社会科学及人文科学的研究中都极为常见。牛津字典释为"方式方法、样式风格"等义。在我国,究竟何谓"模式",《辞海》在1989年以前的版本中并未收入该词,1989年版的解释为"模式,亦译'范型'。一般可以作为范本、模本、变本的式样……"。此外,《汉语大词典》的定义是"事物标准的样式"。《现代汉语词典》(第7版)的注解为"某种事物的标准形式或使人可以照着做的标准样式"。

由此可见,模式是一个现代词汇,其定义主要围绕两个关键词——样式和标准。三大定义均将"模式"定性为样式,那么,什么是样式?顾名思义,物体在某种情况下所具有的形式。"模式等同于样式"似乎并没有将这一概念明朗化多少,但它至少说明了"模式"的本质是事物存在的一种形式或一种状态。当然这种形式或状态是有限定的,这就要谈到第二个关键词"标准"。标准是实践的范本,也就是说,模式必须是具有示范性的形式。深一层来分析,作为事物存在的"示范性的形式"必然是从多次实践中总结出来的,是具有一定理论基础的、稳定性的、精华的东西,同时这一形式还必须具有可模仿性或再操作性。到此,我们基本上接近了"模式"这一概念的全貌。它是某一过程或某一系统的简化与微缩式的表征,是以一定理论或规律为基础的,在实践活动中形成的,具有示范性和可操作性的、稳定的样式。

在教学管理领域,对"模式"的探讨也是众说纷纭,有人将其等同于系统的教学管理的方式、方法,有人将其理解为协调各种教学管理方法过程中形成的动态系统,还有人认为它是一整套管理程序和策略的集合。虽然各有侧重,但都不尽完善与贴切。教学管理模式,从理论层面看,是反映一定教学和管理思想与规律的结构体系,诸如教学管理方法体系、原则、程序等;从实践层面看,是将教学、方法、手段、管理形式融为一体,指导教学管理者应该做什么、怎么去做的范本。它将比较抽象的理论化为易于操作的策略,是沟通理论与实践的桥梁。据此,本书将教学管理模式定义为反映一定教学管理规律,在一定思想指导下,在教学管理活动中形成的,对教学管理活动的实践操作具有示范性的、稳定性的样式。它包括一定指导思想、一套教学管理程序与方法体系,以及教学管理活动过程中一系列要素稳定的组合方式及相应的策略等。

第二节 根据理论基础分类的高校教学管理模式

高校教学管理模式按其理论基础可分为经验型、行政型和科学型三种。由于管理理论发展具有历史性、顺序性与逻辑性,因此这三种模式的发展存在明显的历史纵向联系,在时间上是一个连续的过程,体现了不同时代的文化。

一、经验型教学管理模式

经验型教学管理,顾名思义,它以经验为中心。所谓"经验",是人们在实践中所获得的知识和技能。经验型管理即"人们对管理的认识及管理活动都表现为某种经验的再现或延伸,没有自觉地反思自己的管理行为并将之升华为具有普遍意义的管理原则的管理方式"。这一界定,清晰地展现了经验型管理的三大基本特点:

第一,经验型管理是以领导者个人或团体的"经验"作为准则的管理。

第二,经验的产生是管理者直接参与管理实践活动的结果,受历史条件限制,这些经验尚未上升为理论,缺乏系统性、普遍性与科学性。

第三,经验型管理对管理者的知识、能力及实践水平提出了较高的要求。

高校经验型教学管理模式的形成是经验型管理在高校教学管理活动中反复实践的结果,是管理实践经验的总结。因此,高校经验型管理模式中的"经验"与一般意义上的"经验"是有区别的,它包括两部分内容:一是指管理者亲自从事各种社会实践,尤其是管理实践的过程中,自发形成和积累的那些与管理工作有关的初步知识及技能。二是指前人在相关管理实践中所积累的并为后人所掌握的管理经验。这些管理经验不同于单纯的感性经验,不同于管理者在实践中产生的那些纯粹的感知、表象,包含一定的理性因素。理性经验的不断积累与沉淀是经验上升为原则或科学的基本前提,经验型教学管理模式的形成为后来行政型和科学型教学管理模式的诞生奠定了坚实的基础,从这些意义上看,它在教学管理模式的发展史上具有极大的理论与实践价值。

高校经验型教学管理模式是教学管理模式中起源最早的一种,由于它建立在人类早期不发达的生产力水平之上,主要依赖领导者个人的管理智慧与能力,因此这种管理不具备科学的理论基础,大多关注教学过程中人与人之间关系的调整,是主观性与零散性较大的一种管理模式。但从另一个角度说,由于这类管理所受的外在制约相对较小,因此领导者可以因地制宜、自由灵活地选择和调整自己的管理方式、课程内容与教学计划等,来满足不同教学环境的需要。这就防止了教学管理活动中教条主义与形式主义的倾向,同时加强了管理的针对性,提高了管理效率。在很长一段时间里,东西方的经验型教学管理呈现出百花齐放、百家争鸣的盛况,为人类文明积累了丰富的管理智慧。当然,"经验"的时代性决定了这些教学管理经验在今天的适用范围已经不大,但那些屡经实践证明的理性经验仍然会作为一种传统流传下来,成为今天管理文化中重要的一笔。

二、行政型教学管理模式

"行政"一词源于拉丁文"Administrate",意指公共事务的管理。在现代管理学中,行政是以国家政权为后盾的,通常包含两层含义:从静态的组织结构看,行政即指国家政府机关;从动态组织活动看,行政指政府机关依据确定的路线、方针有效地配置各种资源,通过计划、决策、执行、反馈、监督等一系列组织活动,达到预定目的的过程。行政管理与"行政"的意义十分接近,即指国家行政组织依法对国家政务和社会公共事务的管理。这一概念指明了行政管理的三大要素,即行政管理的主体、客体及运行依据。主体是国家的行政组织或机构,客体为国家政务与社会公共事务,而运行依据则是法律或其他行政法规。

高校行政型教学管理,是行政管理在高校教学管理领域的运用。它是国家或地方教育行政机构依据各级权威性行政法规或程序,采取强制性的行政方法或手段对高校教学管理活动实施的一种管理。行政型教学管理模式是行政型教学管理在高校长期实践、沉淀的产物,其特点与名称密切相关。

首先,从主体上看,行政型教学管理模式以健全的行政组织体系为依托。行政组织是行政型管理活动的发动者与实施者,包括各类行政机关及其工作人员。行政组织体系是行政权力的载体,也是行政职能的具体履行者。高校教学行政管理活动的推进、行政目标的实现、行政命令的上传与下达以及行政任务执行时各部门的支持与配合等必须依赖一个健全畅通的组织系统。因此,良好的高校行政组织系统是高校行政型教学管理运行的基本前提。

其次,从运行依据上看,行政型教学管理模式以权威的法律或规章为准则。高校行政型教学管理不再是管理者个人主观意愿的表达,而是国家意志的执行。因此,这种管理活动必须严格按照相关的法律或规章来进行。合法性是行政行为的基本要求,任何超越了这一准则的管理行为都是无效的。一般来说,这些法律或规章包括上级机关下达的文件、计划、指令、指标、会议的决议、领导同志讲话的精神以及其他行政法规。概括来说,行政型教学管理模式是一种有章可循、有法可依、按章办事的模式,尊重法律法规的权威性是它的重要特征。

最后,从实施方式上看,行政型教学管理模式以一定的行政方法或手段来推进管理。行政方法是行政机关和行政工作人员为了开展行政工作,达成行政目标,从公共组织的内、外部环境和管理对象的实际情况出发,在一定行政管理思想和原则指导下采取的措施、手段、方法和技术等的总称。在教学管理过程中,行政部门多采用召开会议,听取汇报,制定工作条例、计划、制度,批示文件,下达命令,给予奖惩等方式来实施管理。这些方式都带有强烈的强制性。强制性是行政型教学管理模式的本质特征。

行政型教学管理模式在东西方的影响都比较深远。它以一定的法律规范为基础,以行政的程序和手段为主线,试图建立合理性的组织管理系统来提高管理效率。它使管理活动逐步从经验走向理性,从自发走向自觉,打破了经验型管理模式各行其是、杂乱无章的状态,实现了管理手段与方法的科学化,成为高校教学管理模式现代化的开端。但行政型教学管理模式受时代或本身特点的局限,体现出强烈的集中统一、有章可循的机械性特点,它过于强调社会共性,忽视了人的个性,将管理定位在一些僵死的、共同的规章条例中,压抑了管理中人的积极性。因此,在高校教学管理实践中,常常会出现"有组织的无序状态"。这些不足都为新的更为科学的管理模式的诞生创造了契机。

三、科学型教学管理模式

科学型教学管理模式是在经验型与行政型教学管理模式基础上发展而来的一种新型的现代管理模式,是现代资本主义经济飞速发展的产物。它以"科学"命名,凸显了自身的特点。

1. 科学型教学管理模式建立在现代科学管理理论基础上

20世纪中期,随着科学技术的迅猛发展,企业规模急剧扩大,市场竞争日益激烈,人在生产经营中的作用越来越重要,管理理论也逐步迈入了一个相对成熟的时期。尤其是在20世纪30至80年代,管理理论形成了诸多学派,进入了一个百家争鸣、空前繁荣的阶段,通常被称为管理理论的"热带丛林"期,主要包括西蒙的决策理论学派、巴纳德的社会系统学派、卡斯特和罗森茨韦克的系统管理学派、德鲁克的经验主义学派、伯法的管理科学学派、权变理论学派,以及美国管理学家孔茨提到的组织行为学派、社会技术系统学派、经理角色学派等。这些理论对管理活动的本质从不同研究视角给予了相对客观的定位,打破了行政型教学管理模式所依赖的静态理论体系,展现了现代管理实践系统性、随机性、模糊性和多样性的特点,为现代管理实践科学化的进程奠定了良好的理论基础。

2. 科学型教学管理模式强调在管理决策与实施过程中采用适合客观对象的科学方法

随着社会科学研究方法的日益丰富,调查、测量、统计、试验、诊断、评估等方法逐渐进入教学管理活动的研究领域。这些方法各具特色,既有定性的方法也有定量的方法,既有分析的方法又有综合的方法,既有动态的方法又有静态的方法,既有确定性的方法也有随机性的方法,还有模糊性的方法。管理者可以因地因时自由选择。另外,现代化的网络系统、电脑监控等设备也陆续进入高校教学管理系统,大大提高了教学管理的效率。

3. 科学型教学管理模式凸显了现代人在高校教学管理实践中的地位和作用

高校教学管理的主体是人,客体也是人,人是教学管理的核心问题。经验型、行政型教学管理模式对人的定位都存在着偏差,前者过于强调人的主观性,而后者严重抑制了人的创造性。科学型教学管理模式从二者的不足中意识到,管理活动应该学会尊重人、调动人,应该围绕人来展开。一方面要全面提升管理者的各项素质与能力,使其能够创造性地去解决实践中的各种疑难问题。另一方面又要注重调动被管理者的能动性,组织和团结广大教师、学生,使其能积极地参与到教学管理的实践中来,让管理者与被管理者一起为科学管理的建立与运行做贡献。

4. 科学型教学管理模式将教学管理活动本身视为一种系统的、复杂的科学

高校教学管理活动从经验型管理走向科学型管理历经了几千年的历程,在长期的发展过程中,这一实践活动逐步澄清了自己的研究对象与方法,摆脱了依靠主观性、经验性思维处理问题的方式,建立了自己的学科体系,学会了用理性的、逻辑的、客观的方法和现代化的技术手段去揭示教学管理活动的本质特点与一般规律。这些努力使教学管理学从教育

管理学的学科体系中脱颖而出，成为教育科学研究的又一重大领域。

科学型教学管理模式的形成完成了高校教学管理从封闭走向开放，从行动走向科学的转型，它既强调管理过程中的理性分析、逻辑思维与方法的科学性，又凸显了人在管理中的主体地位，较为准确地定位了管理活动的本质特点与一般规律，还防止了管理实践中的"一刀切"、主观主义、教条主义和形式主义的错误倾向，是现代教学管理模式发展的方向。

经验型、行政型、科学型高校教学管理模式，伴随着管理理论从无到有，从单一到多元，从感性到理性的发展历程，一步步走来，对高校教学管理实践工作起到了重要的指导作用。不能绝对地说，哪种模式更优越，哪种模式将会取代其他模式。它们都是特定历史条件下的产物，都具备自身的优势与不足，甚至在众多方面还存在着互为补充的特点。

第三节　根据国别地域特点分类的高校教学管理模式

地域不同，政治经济状况、文化传统不同，各国高校教学管理的风格与特点也不尽相同。基于篇幅，本节选取法国、德国、英国、美国几种典型模式进行阐述。

一、欧洲（法国、德国）大陆科层型高校教学管理模式

欧洲大陆的高校，以法国、德国为代表，在教学管理活动中体现出鲜明的科层组织管理特点。科层型管理毫无疑问是以韦伯的科层管理理论为基础的管理。法国、德国高校内控制的正式结构是由教育部制定的法律予以规定的。政府作为高校管理的协调者和资金的主要提供者，限定了院校层次的教学管理模式。学术工作的协调和指导是作为教授们工作的一部分而进行的，教授的行动是以领导的身份从事的个体行动。教学管理的形式依赖于阶层、职务的权威、标准化的规章以及学术权威。

欧洲大陆高校教学管理的基本单位（第一个层次）是教授席位，其既是学术带头人，又是行政领导人。德国大学是以讲座为中心组织和管理教学的典型代表。讲座教授控制着特定专业领域的教学和考试，并且管理着一个附属的研究机构、研究会或诊所，教育部直接授予他们某些特权、资源、设备以及人员，并把它们作为国家"资产"以法律的形式予以保护。讲座教授主持的教学和科研机构不仅包括各种不同层次的教学人员，而且包括非教学人员，他们都依赖于并服务于讲座教授。法国的教育制度虽然把研究同大学分离，组成独立的教学和科研单位，但却为教授们提供了类似德国的机会，讲座制使教授职务拥有了相当大的个人权威，它可在教授会和国家层次行使自己的非正式影响。

欧洲大陆高校教学管理的第二个层次是教授会，主要由讲座教授组成涉及法律、医学、神学和人文科学以及哲学等传统学术领域的组织。教授会作为一个整体是一种咨询性团体，教授评议会对学术事务享有决策权，教授会处理的是自己权力范围内的课程问题和教育部的资金分配问题，并在新教授的选拔方面起到重要作用。在德国，教授会作为整体对增补教授席位具有直接的控制权，对课程有一定的影响，并具有授予教授资格的权力。在法国，教授会的权力影响要稍小些，教授席位候选人的确定是由教授会和大学中"中央顾问

委员会"共同做出的。

欧洲大陆高校的院校层次(第三个层次)对教学管理的作用不及讲座教授和教授会大。这主要是由大学拨款的方式所致。法国、德国高校的主要财政资源是教育部直接拨款给各个教授。虽然院校层次的管理人员对预算具有某些控制权,但他们如果没有获得教授的首肯,也不得分配学术基金。一般来说,法国、德国的大学校长多是德高望重的学者,校长的选任不是考虑其行政技能,而更多的是考虑其学术水平和是否是大学的象征。

二、英国社团型高校教学管理模式

英国高校是相对独立的自治机关,负责自身的运营、学生的入学、课程设置及教学人员的雇佣。英国大学具有"行会"或社团控制教学机构的传统,很少利用行政等级制度和科层规章。英国大学的管理不存在直接的、完整的命令环节,一个人向另一个人发布命令的观念是与英国控制其事务的方式所不相容的。英国大学多采取特殊的"部落式"社会结构,承袭着共同的传统,当然这种传统来自牛津大学和剑桥大学。直到19世纪初,英国高等教育仍然保留着小规模精英教育的特色。20世纪70年代末,1/3英国高校教师仍是牛津大学和剑桥大学的毕业生。而这两所高校都具有悠久的社团决策的历史,由大师们组成的"立法委员会"对学术事务一直享有决策权,并影响到其他大学。专业人员之间的紧密沟通机制及普遍存在的专业社团,奠定了英国高校教学管理的基础。

英国社团型高校教学管理的第一个层次是以学科为单元组成的学系,由系主任主持。系主任原则上是终身教授,具有招募和任命教学人员,以及管理教学和科研的责任。尽管英国大学教员存在着等级结构,如教授、高级讲师等,但学术问题的决策更具有集体性。一个学系往往有几名教授,学生获得学位,必须修满该学系的所有课程。英国大学的主要资源也是根据学系来分配的。

英国社团型高校教学管理的第二个层次是学部,由学部董事会管理,与欧洲大陆的高校相比,英国大学的学部是较为重要的决策实体。作为相关学科的联合体,学部可确定共同的入学标准、复审课程方案,管理考试,并参与人事任命和升迁过程。

英国社团型高校教学管理的第三个层次是学校层,包括学术评议会、校外代表组成的委员会和副校长3个方面,成鼎足之势。这种机制对大学的政策起到了集思广益、协调合作和统一思想的作用。其中学术评议会对教学政策的制定具有绝对的权力,并向各学系及一般教学服务部门分配经费预算,英国的考试管理,也是由大学学术评议会任命外来主考人负责的,外来主考人需要负责认定特定学系的考试试卷、样卷评估,参与考试评分工作等。这一机制保证了不同大学相关学科授予学位的可比性,并维护了学校的教学标准。

英国高校教学管理的典型特征是依靠专业判断作为解决冲突的主要方式。这主要是受到英国高校传统的影响,要求人们维持可统合教学工作的社团结构,根据共同的价值观来管理教学。与欧洲大陆强调成文的法律和等级职位的权威相比。英国高校更加注重潜藏的专业规范和专业人员的权威。副校长的权力不在其职位上,而在于他是否有能力联系各种社团取得合作和协调。英国高校教学管理模式受到一贯的批评是他的学术传统既阻碍了科层控制的形成,又阻碍了组织的革新,但其优势在于能把集体的指挥体调动起来,用以解决教学管理中出现的问题。

三、美国市场型高校教学管理模式

美国高校教育制度受州政府的影响巨大,50 多个州,各州的政策都不相同,这就要求美国高等教育采取竞争性的政策。从整体上看美国高校的教学管理具有极大的相似性,但是具体到各所高校,由于其传统、环境和功能的不同,又存在着很大的差异。如有些高校重视行政职位的学术权威和集体商定规章,偏向于科层型教学管理模式,而有些受英国高校传统影响,更乐意选择社团型教学管理模式。事实上,美国高校最为典型的特征是教学管理人员具有经费预算和管理一般行政人员的正式权力。美国高校教学管理与其企业管理模式相似,具有很大的竞争性。

美国高校教学管理依据学科领域组成系。系主任的任命和任期是由上一级行政人员向终身教学人员咨询后决定的。除医学院的系主任对财政资源具有实际的直接控制权以外,一般系主任的权力主要表现在人事建议、教师工作任务的布置和对系资源的管理等方面。美国高校系主任是不具有职权性的职务的,系内的决策主要是社团式的,其对教学、课程和人事的安排具有控制权,但须经过上级的复审。

美国高校教学管理有一个称为学院的正式组织单位。它可以决定课程改革、教学人员的人事问题、本科生的入学标准及第一专业学位的授予。由于美国缺乏中学毕业生的统一政策,美国高校学员曾普遍设立了一个实体的教学基础部门,负责处理学生的入学、咨询和协调教学工作。这一教学基础部门由一名院长管理,其具有一定的实权,控制着经费预算,并参与教学人员的人事决策及系主任的任命。

美国大学校长主要关注的是学校的外部问题,涉及公共关系、资金筹措,以及同联邦州政府的关系等。教学管理则主要由副校长和教务处长负责,涉及课程协调问题、教学人员人事问题和科学研究问题。负责教学的学校行政人员同各学院院长的工作关系密切,它是全体职工大会或评议会的代表,负责学术事务的一般政策和建议。在美国高校教学管理的最高层,虽然教学管理人员,诸如院长、教务长和校长,产生于专业教师,并熟悉教学专业规范,但在教学管理的组织结构中,更多的是由非专业学术性的专职行政人员组成,这与英国和欧洲大陆的形势形成鲜明的对比。这些非专职行政人员既承担了类似欧洲大陆模式中靠科层与规章来协调和管理教学的职责,又承担了类似英国模式中靠共同的传统与社团组织来协调和管理教学的职责。美国私立大学的理事会是由自我任命的非专业人员组成的,公立大学的理事会则由州行政官员任命的各种利益团体的代表组成。他们对大学具有最终的法律权力,并对学校的财政和设施产生较大的影响,而对学生入学、教学人员的人事安排、课程和教学标准及科学研究等问题影响较少。学生的入学标准由各院的职工代表制定。在缺乏法规的竞争优生的市场中,学费、杂费和学校提供的资助等教育成本对本科生和研究生的选拔起了重要的作用。同样,学校教职工的选拔也取决于学术市场的竞争价码。美国高校的课程和学分制也打上了市场的烙印,学生在一个学院取得的学分会在另一个学院获得适当的承认。美国高校科研工作的决策和管理也反映了市场机制的特点,独立于大学系级结构、有组织的科研单位对战后美国的科学发展起到了很大的作用。这种科研单位具有极强的适应性和灵活性,可进行实际性、应用性和耗资巨大的研究项目,以适应社会追求新知的需要,但它又不严重影响传统的系科结构,且它的研究基金也是以竞争方式分配的。

与欧洲大陆和英国高校教学管理模式相比,美国高校教学管理模式的特点是力图实现大学外部环境与内部结构的互动。自由竞争的外部环境以及不受传统和上级规章限制的管理模式,极大地助长了具有事业心的系主任、院长和校长的精诚合作。他们共同致力于提高学校的威望和市场的吸引力,以便在竞争的环境中发展壮大。精力充沛的行政创业者不断提出和实施了许多教学管理的新策略,使美国高等教育发生了巨大变革并具有很强的灵活性。

第四节　根据实践方式分类的高校教学管理模式比较

一、学年制

学年制又称学年学时制,是以课程实施的学期考核为评价基本单位,按学年学生完成教学计划课程门数的程度为学籍处理基本依据的教学管理模式。学年制下,学生按学年计划学习各门课程,其学习任务量按课程的学时衡量,即按照专业的培养目标规定学生学习的年限及一整套的课程,并且规定每门课程的学习时间及总学时数。每个学生都必须按照规定的进度学完全部课程,经考试或考查合格后,按规定以学年为单位予以升级直至毕业。考查或考试不能达到要求者,予以留级甚至退学。一般来说不允许学生缩短或延长修业年限。所有学生一律按入学先后,编入相应的年级和班级上课,课程按学年安排,所学课程除选修课外,全班同步。同样的时间、同样的地点、同样的进度学习同样的内容,以达到同样的要求,这就是刚性教学管理模式——学年制的基本特点。

二、学分制

何谓学分制?理论界对其概念界定尚存一定分歧,概括来说,主要有以下几种。

(1)学分制是高等学校的一种教学管理制度,它以学分作为计算学生学习分量的单位。

(2)学分制是以学分作为计算学生学习量的单位,以取得最低必要学分作为毕业标准的教学管理制度。

(3)学分制是高等学校的一种教育管理制度,以学生取得的学分数作为衡量其学业完成情况的基本依据,并据以进行有关管理工作。

学分制本质上是为了促进学生个性发展的一种教学管理模式。其主要特点如下。

(一)修读课程的自选性

学分制是从选课制基础上发展起来的,最突出的特征是允许学生选课修读。在选课过程中,学生可根据自己认为是必要的而且有兴趣的课程选读,从而获得自由选课的权利。学生可以跨系、跨校选课,也可以主、副课程兼选,还可以根据需要自由选择专业,充分体现了学生在学习过程中的自主性。当然学生对于课程的选择也不是一味自主的,导师制的产生从某种程度上确保了学生选课的盲目性,优化了学生的多元发展。

(二)修业年限的弹性化

弹性学制是学分制适应学生个体差异性发展的重要特征。学分制在参考学历教育要求年限的基础上,又不囿于年限的严格限制,允许成绩优秀、聪颖的学生率先修满所规定的学分提前毕业。同时对一部分学生由于种种原因不能在规定的年限修满学分的,可以滞后一定的时间毕业。这样既尊重了学生的个体差异,珍惜了人才,又能更好地促进其发展。

(三)学生修读的自控性和个性化

学分制下,学生除了拥有对自我学习内容的选择权,还拥有对学习进程的自控权。学生可根据自身能力与实际条件确定自己的修读进程。在修读过程中,学生如果考试不及格,可以重新修读,直到及格取得学分为止,也允许学生在一定程度内根据自身的发展需求进行自我调整,放弃自由选读的不及格课程而另选另考。这些特点对于学生培养适应社会需要的才能极大地有利。

(四)管理的目标化

目标管理是学分制区别学年制的重要特征。相对学年制对教学过程的严格管理,学分制目标管理显得较为宽松,主要依靠考试来衡量教学结果和进行学籍管理。考试合格就可以取得学分,修满规定的各类学分和总学分就可以毕业。在是否听课、每学期修课门数、上课时间、选择上课教师等过程环节上,学分制教学管理赋予了学生极大的自主权。学分制管理模式下,随着必要的共同必修课的减少,学校对班级教育和相对固定的教学活动的管理弱化,不同专业、不同年级、不同学科学生间的学术交往更趋频繁,大大增强了学生的适应能力。

简而言之,学分制教学管理的精髓主要有三:第一,选课制;第二,以学分计算学生学习量;第三,取得必要的最低学分作为毕业的学籍管理模式。三者有机结合,缺一不可。从这个意义上说,完整意义上的学分制应该是以选课制为基础,以学分计算学生学习量,并以取得最低学分作为毕业标准的教学管理模式。

三、学年学分制

学年学分制从名称来看,是学年制与学分制的一种中和;从其特点来看,是一种既规定修业年限又实行学分制的高校教学管理模式。学年学分制下,凡是规定修业年限的高校,不论年限长短,都规定一定的修习学分,要求在规定的年限内修满一定的学分为合格。我国目前实行学分制的高等院校基本上都采取这一模式。其特点有二:其一,继承学年制的计划性,在教学计划中把公共课和专业基础课列为必修,其学时总数通常占总课时的70%左右;其二,体现了学分制的灵活性,在教学计划中开设选修课,指定选修课和任意选修课。其学时数一般不超过30%。一般来说,实行学年学分制的学校,学生在一、二年级选课的余地不大,主要学习精力放在打基础上,三年级后才大量开设选修课。学年学分制是一种计划性与灵活性相结合的教学管理模式。其学籍管理也由计划培养和按学分积累成绩两种方式来运行。

目前学术界在对学年学分制的本质进行探讨的过程中,存在两种观点:一种认为学年学分制,是以计划和学年制为主导的教学管理模式,故其本质是具有一定灵活性的学年制;另一种观点认为,学年学分制的重点在于学分制的运用,它的本质应该是在学分制,是有计划的学分制。笔者以为,学年学分制无论是"具有一定灵活性的学年制"还是"有计划的学分制",其本质都是在学分制与学年制调和基础上产生的一种教学管理模式。

从上面的分析可以看出,学分制是以"学分"作为学生学习分量的计算单位,而学年制是以"学年"教学时数作为其计算单位的。学分制注重目标管理,而学年制侧重过程管理。在学年制下,教学计划是统一的、明确的,而且很细化,不管学习基础如何,都接受几乎相同的教育。学分制则更富有弹性和灵活性,大大丰富了教育教学的内容,扩大了学生学习的自主性。

第五节　高校教学管理模式创新

一、高校教学管理模式发展创新趋势

21 世纪是人类走向知识经济,走向开放和全球化的世纪。生产力的飞速发展,各国经济实力的迅速增强对教育、政治、文化,乃至人们日常的思想和行为方式均产生了相对深刻的影响。在高等教育领域,教学管理模式的发展也必将面临重大挑战。

1. 经验型教学管理模式

虽然经验型教学管理已经发展为现代经验型管理,且其灵活、便捷的管理方式仍在影响今天的高校教学管理实践,但由于经验具有主观性、零散性与时代性,在知识经济、信息社会高速发展的今天,已不可能再成为时代的主流。好的经验必然会迅速提升为科学的管理原则、体系或理论来指导现代管理实践,可以预言,随着经济的发展和管理水平的提高,高校经验型教学管理模式必将淡出历史的舞台。

2. 行政型教学管理模式

行政型教学管理模式,作为一种效率为本的模式,在高校教学管理史上做出了重大贡献。但在管理理论极大丰富和生产力飞速发展的今天,它的缺陷与弊端也已经逐步展现。从其本质特点来看,它是按照权威的行政法规和既定的规范程序实行的教学管理,强调集中统一、有章可循,难免具有机械性。

首先是决策和计划方面,行政型教学管理强调行政管理者的权威性,往往根据上级指示,依据权力意志做出教学决策,制订教学计划、教学改革措施和教学评估标准,编排、指挥教学人员,忽视专家、学生和其他有关人士的参与。决策的民主参与程度不高,透明度低。不仅如此,在决策和计划后,缺乏完善配套的宣传、咨询、反馈、监督和评价机制,呈现封闭状态。

其次,在管理的计划内容上,行政型教学管理模式呈现出过于统一性。我国高校多年来是按照行政命令和国家计划,实行统一的教学计划、统一的课程设置、统一的教学大纲、统一的教材和教学方法与统一的考试形式。这种高度统一的模式容易导致课程结构呆板、选择空间狭窄、教学内容陈旧,与培养具有创见、讲求个性的现代高素质创造性人才的要求并不相符合。

最后,行政型管理模式具有计划执行的强制性。行政型教学管理实行从上到下的直线式管理,强调权威与服从,上、下级之间,管理者和师生之间,教师与学生之间缺乏平等交流和协商,缺少对管理对象特点、要求的分析和把握,按任务实施管理控制的成分多,按针对性原则开展引导服务的成分少。学校教学管理职能部门和各级教学行政管理人员往往成为支配教学运行的核心和主体,师生处于被动和服从的地位。应该说,这种强制性的教学管理只能维持规范化条件下的常规运行,面对外界环境和管理系统要素的变化而出现的问题和新情况的适应性比较差,难以进行及时有效的协调和控制。所以,行政型教学管理模式在现代社会的发展必然会发生转型。

3. 科学型教学管理模式

与经验型和行政型教学管理模式相比,科学型教学管理模式在现代社会呈现出了良好的发展态势。在管理决策领域,与过去的机械决定论一统天下的情况不一样,科学型教学管理模式的建立,将权变与综合的思想渗入教学管理实践,将科学认识与人们的价值认识紧密融合,带来了高校教学管理模式改革的一次重大飞跃。

4. 学分制、学年制教学管理模式

从学分制、学年制教学管理模式的发展来看,随着高校大幅度扩招政策的实施,高学教育大众化的趋势势不可挡。教育"产业"越做越大,教育客体之间的绝对差异越来越大,若要因材施教,充分发挥学习主体的积极性与主动性,就要有更加灵活化的课程运行机制,学分制或者说完全学分制成为最适应这一潮流的课程运行机制与学生管理机制。

就国别意义上的高校教学管理模式来看,如何在全球化的背景下尽可能展现自身的管理特色,已经成为各国高校教学管理关注的课题和努力的方向。总之,高校教学管理模式在 21 世纪必将朝着多元、权变、综合、人本并充满本国特色的方向高速发展。

二、当前我国高校教学管理模式改革的走向

比较研究的终极意义在于对实践的指导。对高校教学管理模式进行比较分析的终点也要回到我国当前高校教学管理的实践中来,为我国高校教学管理模式的未来发展提供导向。

(一)科学管理与人文管理的融合

尽管各种模式的发展都有自己的侧重点,然而伴随着各种教学管理模式的发展历程,我们仍然不难发现两种核心的价值取向,一是科学主义,二是人文主义。科学管理价值取向关心应当采取什么措施才能使组织更富有效率的问题,人文管理价值取向则把注意力放在人的情感和其他的心理因素上,强调人的需要。经验型管理阶段,由于生产力水平低下,科学技术落后,简单、朴素的人文观占据上风。随着资本主义经济的发展,到行政型教学管理模式时期,以"科学"为基础的西方管理理论,垄断了当时的高校教学管理。而到了现代

管理高速发展的科学管理模式时期,无论是西方管理模式,还是东方管理模式,都不可能再选择单一的教育价值观,科学主义与人文主义不可避免地要走向融合,共同促进教学管理的民主化、科学化和专业化。

从哲学角度说,科学管理的哲学基础是实证主义,人文管理的哲学基础是主观主义。然而,无论是实证主义还是主观主义,虽然都是从管理的角度来谈人的问题,但它们并不是从实践活动主体的角度去看待人,而只是从抽象的意义上来谈论人,因而它们所主张的教育管理观就容易割裂作为主体的人在实践活动中所体现的事实与价值、组织与人、理性与非理性,以及认知理性与非认知理性之间的辩证统一关系。真正意义上的科学教育管理观,在管理的知识论上,应既重视事实又重视人的主观价值在人与组织的关系上,既要把人看作组织中的关键因素,同时也不能忽视组织结构本身在管理和决策中的作用。在管理中,既要注重人的理性方面,也要关注人的非理性方面。在人的理性中,既要关注认知理性方面,也不能忽视价值和伦理理性方面。这种强调主客体融合的新型教学管理观也正是马克思主义哲学所倡导的,它必将成为我国 21 世纪教学管理模式改革的方向指针。

(二)国际化与中国特色的突显

伴随 21 世纪经济全球化和科技一体化的浪潮,无论教学抑或管理,都必须跟随这个趋势来确定发展的方向和目标。在经济全球化的浪潮中,传统的国界日益淡化,包括资金、技术、人才在内的各种生产要素跨国界的流动日益频繁。时代热切地呼唤着面向世界、具有国际交往能力与竞争能力的新兴人才。我国高等教育到了必须进行改革和创新的关口。唯有创建出一批一流的大学,实施一流的教学管理,才能最终屹立于世界高等教育之林。

高等教学管理模式的国际化首先需要管理者拥有敢为人先、海纳百川的勇气,能及时学习并吸取西方国家教学管理模式中先进的观念、理论、思路与方法。敢于不断探寻新的高校教学管理模式。如打破专业壁垒,给学生创造自我设计空间。允许和指导学生在学习过程中基于学习或兴趣方面的原因自由转换专业。为方便学生学习交流,提高其对环境的适应能力。在课程内容取舍方面,除一些公共基础课外,允许教师教学内容上的个性化,允许教材的多样化,鼓励教师探索各种有利于启发和调动学生学习积极性,有利于激发学习的创新意识的教学方法。从体制上强化学生的读书、实践、实验设计等自主学习环节。鼓励教师采用各种有利于检验学生基本素质和创新能力的考核方法等。高校教学管理模式的国际化是时代发展的要求,也是我国高等教育发展的必由之路,它的不断进步与改善也将赋予国际化以新的内涵。

任何管理模式都以一定的管理思想为指导,都植根于一定的社会文化土壤之中,而一定的社会文化大都割不断与历史传统的联系,并且总是在继承中发展,在发展中继承。我国先进的管理思想源远流长,几千年的华夏文明孕育了重"道"、重人、重中和、求实守信的东方管理精神。苏东水先生曾将这些传统管理文化的本质属性归纳为"以人为本、以德为先、以人为人"。"以人为本",即一切以人为核心,实现人的全面、自由、普遍发展。"以德为先"强调道德伦理的作用,管理者先"修己"以做出道德示范,在无形中影响被管理者的行为,从而达到"安人"的目的。"以人为人"要求每一个管理者首先要注意自身的行为和修养,"正人必先正己",然后从"为人"的角度出发,来从事、控制和调整自己的行为,创造一种良好的人际关系和激励环境,使人们能够持久地处于激发状态工作,使人的能动性、积极性得到充分发挥,为人类社会更好地服务。可以说,这是东方管理文化中最华彩的部分,也是世纪之交我国高校教学管理模式改革中最值得吸取和坚持的东西。

因此,我国未来的高校教学管理模式改革既要学习西方,又要坚守自身特色,博采众长,做到融合中有差异、差异中有权变、权变中有融合。我国应紧密结合高校教学管理实际,不断构建和完善具有中国特色的新型高校教学管理模式。

(三)完全学分制的全面推行

21世纪,是倡导个性自由发展的年代。整体主义的教育模式被摒弃,学生的主体性和创造性得以充分发挥和展现,这是我国高等教育未来发展的目标和理想。然而,由于长期受计划管理体制的影响,我国高校教学管理模式市场主导性原则不突出,目前盛行的学年学分制管理模式在很大程度上也仍然是大一统,忽视了教学以学生为本的素质教育主题,不管学生愿意不愿意都必须按课程计划进行学习,不论学生喜欢不喜欢都必须按课程表到指定教室听指定教师讲课,学习主体没有应有的自主权和选择权,在学习过程中处于被动状态,个性发展及创造力培养均受到局限。因而完全学分制的推行成为历史发展的必然选择。完全学分制是学分制发展的最高阶段,其本质是把知识模块化为足够学分的课程所包含的知识来培养学生的管理模式。这一管理模式没有专业的限制,没有修业年限的限制,充分有利于学生的成长与发展。

尽管如此,21世纪完全学分制的推行也仍然是一个过程。由于完全学分制是一个系统,需要较多的选修课、宽口径课程设置、自由选课制、自由选专业制、导师制、完善的学生管理、按学分收费、学分级点制等硬件和制度的支持。同时还需要具备一定的外部条件,例如政府教育主管部门应进一步放权,把办学自主权交给学校。政府应宏观调控,加快人事制度改革,把选用人才的自主权完全交给需要人才的企事业单位,取消毕业生、就业时限和本地户口保护制度,公平竞争、双向选择、自主择业。政府应增加对高校的财政拨款,促进学校采用现代教育技术和加强基础设施建设,同时,提高教师薪资待遇,重视教师继续教育,实行教师资格考核制度,应加快推行高校后勤服务社会化改革等。就现状来说,我国高等教育规模还不是足够大,高等教育还没有发展成为一个供学生选购学分的市场,外部条件的支持也极为有限,可能在一段时间内仍然需要对学生的修业年限做一定的限制。

但是,不管怎样,完全学分制教学管理模式作为一种顺应时代发展的新生事物,在21世纪推广已成为一种趋势。作为高校管理者,我们应该尽可能完善与落实各种配套制度,实事求是地去认识它、实践它。

三、新时期"以人为本"教学管理模式创新

(一)"以人为本"教学管理模式的提出

传统的行政集权式的高校教育管理模式缺乏人性化设计,忽视了大学生个性化、多元化的发展需求,严重阻碍了学生综合素质的提高和发展,造成了高等教育与市场需求的脱节,这也是目前大学生学习积极性和主动性差强人意的主要原因。随着社会的不断发展变

化,这种消极阻碍作用越来越明显。近年来,高校不断扩招,高等教育已经从传统的精英教育向大众教育和素质教育过渡,培养大量具有广博的知识、精深的专业知识、勇于创新进取的高素质、复合型人才是高等教育的发展目标,人才培养质量是高等学校生存和未来发展的生命线。高校师生群体将成为高等教育的主体,高校的所有办学活动都应该围绕人才培养而展开,因此我们倡导"以人为本"的高校教育管理模式。所谓以人为本的高校教学管理模式就是摒弃传统的刚性教学管理手段,注重对人的本质价值的理解与尊重,尊重教师和学生在教学活动中的主体地位,根据学生的个人需要、兴趣和爱好来进行教学管理活动,最大限度地发挥高校师生的积极性和主动性,实现人和高校的共同发展。新时期,建立以人为本的高校教学管理模式是高校深化教学改革的必然要求。作为一种正在被全世界普遍关注的管理思想,"以人为本"的管理理论被广泛地应用到高校教学管理当中,这也是现代高等教育理念的具体体现。

(二)"以人为本"教学管理模式的具体实施

1. 鼓励学生参与教学管理

"以人为本"的教学管理尊重学生的权利,鼓励学生参与教学管理活动中来,主要体现在学生对教学管理的知情、选择、反馈、评价和决策上,也就是让学生参与到整个教学管理的始终。具体表现在以下几方面。

一是学生要了解本专业教学课程的设置和教学计划,这样学生才能更好地了解本专业的学习目标和学习任务,才能加深对本专业的了解,从而形成共识,提高学习的积极性和主动性。

二是学生具有选择教师、课程以及教学进度的权利。以人为本的教学管理尊重学生的个性化发展,每个学生都有不同的兴趣爱好、专业背景和职业发展规划,学生对不同的课程有着多元化的需求,高校要尊重学生这种需求,在选修课中推行"一课多师"和"一师多课"的选课制度,让更多的学生可以选到自己喜欢的教师或者课程,扩大学生自主选择的空间。学生还可以根据自己的学习规划和安排来选择学业年限,例如可以提前半年毕业或者推迟毕业等。

三是提高学生在教学反馈中的比重。传统的高校教学管理中,学生也会在学期末对教师教学活动进行网上评教,但大多是走走形式,很少能得到教学部门的反馈。在以人为本的教学管理模式下,学生有权利将自己在学习中遇到的各种困惑和想法等及时反馈到教学管理部门和教师那里,并对专业教学目标、课程教学内容和教师教学方法提出合理化建议,教学管理部门要及时进行反馈,根据学生意见来进行教学活动的重新安排。

2. 赋予教师更多的弹性空间

传统的教学管理对教师的教学活动有着严格的规定,从备课、教案、计划、作业、点名等都有着详细的要求,有的学校要求教师统一备课、手写教案等,教师被动地忙于各种教案、大纲的检查,没有时间来进行教学活动的反思,这实际上扼杀了教师的个性、束缚了教师的手脚,这也是高等教育的课堂缺乏对当代学生吸引力的主要原因之一。实际上,教育本身具有一定的规律,是一种创造性的活动。教学是一门艺术,也是一门学问,并不是因循守旧和按部就班。没有教师的创新,也很难有学生的创新,整个教学活动将严重缺乏生命力和创新力,学校的发展将会严重受阻。高校教学管理部门要尊重教师的个性,在不违反基本教学规范的前提下,允许教师打破一些固有的教学模式,鼓励教师多进行一些创新性的教学活动,给教师和学生提供足够宽松的教学环境,创造更加适合本专业学生发展和课程特点的教学方法。

3.科学确立教师绩效评价标准

教师评价是对教师在教学活动中的表现和效果、教学胜任能力及其专业发展能力做出的价值判断过程,目的在于提高教学效能和促进教师的专业发展。教师评价正是大学管理体制改革创新中提高教师水平的一项重要举措。

首先,以人为本的教学管理模式要求把高校教师绩效评价标准内化于教师活动之中。一方面,评价的内容和指标说明了学校关注和重视的内容,这也有利于教师明确学校的发展目标与方向,明确自己的职责,认识到不断进步、不断提高自身修养不仅仅是自身的愿望,更是学校的必然要求;另一方面,通过对绩效评价结果的有效运用和反馈,可以激励教师努力工作,同时,教师绩效评价过程也是教师认识自己和反思自身教育教学工作的绝佳时机,有利于教师的自我改进。

其次,在教学管理过程中,学校要实行政策公开,使学生综合测评、评优评先和就业分配等工作的过程和环节置于管理部门和学生的监督之下,并逐步制定完善的监督学生管理工作制度,明确管理工作的考评标准,完善管理绩效评估和过错责任追究制度,把落实管理制度情况作为学生管理工作者工作考评的重要方面,这样才能防止工作过程中的暗箱操作,消除学生对过程和结果的不公的疑虑,促进学生管理的公正和学生管理工作的健康发展。

四、高校学籍管理工作模式创新

近年来,在高校学籍管理工作中,创新管理理念,转变工作模式,立足基本事务服务,积极发挥学籍管理在维护学生学业安全和推动学校优良学风建设上的重要功能。这种功能的发挥具备一定的内在机理,机理演进分三个层次,层次的划分则具有三个关键点,即"服务""约束"和"激励"。

在第一层次,"服务"居于主导地位,强调基本业务的重要性,要求在零失误的基础上,不断提高服务学生、服务学校和服务社会的质量;

在第二层次,"约束"起主导作用,通过过程监管对学生的学业产生督促和约束效能;

在第三层次,"激励"发挥着主导作用,通过专业调整等有效措施促进优良学风建设。

(一)立足事务服务,履行学籍管理职责

这一层次主要立足于学籍管理的事务服务,把好学生学籍管理的"三关",即入学注册、在校异动和学历注册,保证学籍数据质量。

1.严把入学注册关,做实做细新生资格复查

新生入学资格复查和学籍电子注册是学籍管理工作的基础,高校应始终将其作为保护学生权益、保障教育公平、抵制违规招生、维护学业安全和建设优良学风的基础性工作并高度重视。为此,高校应建立院校两级审核工作机制。在学院审核环节,通过比对考生照片、

复核档案材料、对存疑学生进行交谈与核实等多种形式,复查新生入学资格,严防冒名顶替学生入学;在学校审核环节,加大对录取数据复核的力度,重点查验重名重号问题,一经发现就暂缓注册,待学校查明后再予注册。在现行院校两级审核工作机制的基础上,加强学校审核的力度,通过编写专用的资格复查程序、使用身份证识别仪和投影仪等设备施行集中审查。复查中,学校重点审查照片、身份证等信息是否与学生本人一致,学生则重点核对录取信息,核对无误后,学生本人签字确认,确认后的信息将作为新生学籍电子注册的基础数据。通过深入细致的复查和注册工作,学校严把高校招生入学的关口。

2. 加强过程管理,拓展学年电子注册功能

在校生学年电子注册能够通过学籍异动手续的办理发挥服务功能,通过在学信网的异动处理实现约束功效,因此应该一直将其视为发挥学籍管理"服务"与"约束"功能的关键环节。近年来,部分高校努力探索并拓展学年电子注册常规工作,将其纳入对学生进行学业监管的工作体系,注重发挥其过程管理的作用。比如学业预警管理办法、学生学业综合状况调查等都是对学年电子注册工作功能拓展的科学应用。在具体工作开展过程中,应该从不实行一键注册,并能够严格按照工作流程和时间要求完成注册任务。要合理区分学籍异动类型,对于退学等学籍注销异动,应该实行报批制度,经部门和学校领导同意后才做注销处理;而对于休学、复学和降级等异动则需要根据实际办理结果进行及时标注。

3. 做精出口监管,保障提升学历注册质量

在学籍管理出口关,高校应始终注重学籍数据质量,始终以"一个不多、一个不少、一个不错"为根本目标,以做精提升毕业生数据质量为基本要求,并将这一要求深入贯彻到学籍管理的全过程。定期地进行全校范围的学生学籍信息核对,使出口监管工作落实到日常管理中。学生毕业前,学校应组织实施毕业生学籍信息审核,对学籍信息进行最后一次核对,审核发现问题在第一时间予以处理,确认无误后再提供给就业和教务等部门。随着学校信息化建设的开展,高校也将采用程序化办法,通过部门网站或微信公众平台等载体进行实时学籍信息查询,实现新老办法的有效结合,减少传统办法的使用频次,发挥各自的优势,最终保证出口关数据质量,为学历注册奠定良好基础,从而避免学历勘误现象的发生。

(二)增强过程约束,聚焦学业安全控制

在学籍管理的作用机理中,"服务""约束"和"激励"三个阶段承先启后、由浅入深,彼此之间又相互联系、影响和作用。其中,"约束"具备承接功能,不仅要承接"服务"功能,也要对"激励"产生诱发作用,使学籍管理的作用机理有效衔接,为此,高校学籍管理要在确保完成基本业务和做好服务的前提下,注重"约束"功效的实现并不断探索,聚焦学业安全控制。

1. 修订试读与退学管理办法,建立学业预警淘汰约束机制

学籍管理对学业安全的约束主要通过降级和退学异动来实现,这是学籍管理发挥约束作用的根源所在。根据近两年对高校实施学业预警的调研状况来看,多数存在学业风险和产生学业问题的学生,都是因为考试挂科达到了一定标准,按照学校学生管理的规定应该办理试读、降级甚至退学等学籍异动。按照原试读办法,虽然能在一定程度上解决部分学生的学业问题,但是实施中也出现了一些亟待解决的新问题,如采取跟班试读,学生既要补

修、重修课程,还要学习新课程,学习压力过大。另外管理上也易出现混乱,降低学籍管理在"约束"上的功效,限制了其对维护学业安全的效能。为此,应该要求试读须通过降级来完成,而且降级最多两次,若再次面临学业问题,应退学。如果新版办法得以实施修订,将进一步健全学籍管理对学生学业安全的保障功能,建立预警淘汰的约束机制。

2. 变革学籍登记表记载内容,建立诚信档案写入约束机制

为增强学籍管理对维护学生学业安全的约束作用,高校应不断摸索、尝试,特别是对于原有管理办法或经验性措施中不合理的部分及不能适应学校发展形势的部分,要进行有效的完善和大胆的革新。其中,变革在籍学生学籍登记表就是重要一项。为创新学籍管理,听取二级学院变革学籍登记表记载内容的建议,在对基本信息部分简单修改的同时,重点修改学籍登记表中的诚信记录部分,即保留原有奖惩、成绩和出勤等内容,增加学生在校接受资助或申请助学贷款的内容。变革后的学籍登记表,更加详细地记载了学生在校的相关信息,特别是诚信记录情况,学籍登记表装入学生个人档案,对学生的约束作用进一步加强。

3. 注重学籍业务知识的推广,建立日常管理监控约束机制

学籍管理要发挥好对维护学生学业的约束作用,需要学生充分了解和掌握学籍异动的类型、办理原因、对学业有何影响以及影响程度,更需要学生深入了解如何针对不同异动类型采取必要的防范措施,进而规避学业风险。为此,就需要加强在日常管理中的学籍知识普及和宣传引导。高校应采取一些常规措施,如每年都为入学新生发放学生手册、组织新生学习并通过考试等形式加大对学习效果的检查;同时,学校也要及时掌握学籍管理的政策变化,并将最新要求通过逐年完善的方式加入学生手册,并在部门网站进行信息公开,确保在校生能及时把握政策变化。更为重要的是,学校十分注重辅导员在日常管理中的重要作用,在各学院设立了学籍管理信息员,由辅导员担任,负责学籍业务的沟通协调;同时,定期面向辅导员举办学生管理以及学籍管理的业务介绍,特别加强了对新进入学生管理队伍的辅导员老师的培训。该项工作应该实现规范化,建立起长效机制。

(三)挖掘内在激励,强化学风建设功能

1. 制定并实施优秀学生转专业政策,激发学生内在学习动力

学籍管理的诸多业务多集中在服务功能和约束功能上,而能够对优良学风建设有激励作用的,少之又少。目前,为优秀学生提供重新选择专业的机会能够承担激励的功能。因此,本着建设优良学风的目的,使学生一入大学就有学习目标,从而在低年级就形成良好的学习习惯,高校应该制定优秀本科生转专业政策,只要成绩达到一定标准,均有机会重新选择专业。实施中,在专业限制方面,学校根据教育厅政策要求和专业特点,将专业分成 A、B 两个大类,同一大类专业的学生可以互转;在志愿填报环节,每名同学可选择多个专业;在专业分配环节,严格以平均学分绩点、平均分为依据,并通过学校开发的程序来预分专业,整个过程公开、透明、确保公平。该政策对于充分调动学生学习积极性,在学校范围内形成学习自觉性强、学习主动性高、学习态度端正、学习目标明确的优良学风有重要作用。

2. 探索和拓展学籍管理业务的边界,挖掘学风建设激励机制

正如前面所说,学籍管理业务中能够对学风建设有激励作用的少之又少,为此,需要学

籍管理工作者加强研究,在当前业务范围内或可拓宽的业务边界上挖掘促学风的激励机制。如在实行完全学分制的情况下,探讨和实行跳级制度;在创业、就业方面探讨和实行保留学籍的办法等。正如思想政治教育工作一样,学籍管理工作也有润物无声的效果,但并不代表学籍管理工作应该默默无闻,相反,更应加强学籍管理工作者的交流和探索,丰富学籍管理功能,拓宽学籍管理业务边界,进一步发挥学籍管理在教育教学中的服务、约束和激励作用,特别是要树立主动作为的意识,才能更好地挖掘激励学风的机制。

3. 构建和完善学籍管理工作平台,提高服务效率和操作准度

实现学籍管理工作模式的创新,更好地发挥其"约束"与"激励"功能,保障"服务"是根本,脱离或淡化"服务"的学籍管理将难以为继。为此,需要构建并完善高校学籍管理工作平台,以此提高服务效率和操作准度,进而创造更大的空间去拓展和延伸其他功能。

一方面,要依据高校信息管理的新要求,创新学籍管理操作系统,如根据全国教学基本状态数据库填报和高校报表的新变化,适时改革高校学籍管理操作系统,更好、更快、更准地提供数据报表服务。

另一方面,拓展学籍管理工作平台覆盖面,强化部门联动,要在高校加快信息化建设过程中,建立学院、不同职能部门之间有效联动的机制,通过共同开发和使用同一管理平台,提高参与度和沟通效率。

第三章 高校教学管理机制创新

第一节 高校教学管理机制概述

一、机制

理解高校教学管理机制的内涵,首先需要理解"机制"的内涵。然而要阐释这个概念却非易事。这不仅因为"机制"这一概念本身的抽象性,从而使得将这一抽象概念具体化变得极为困难,还因为不同的管理哲学所赖以确立的理论前提不同,人们对于机制的理解也会有很大的差异。但是,我们仍然可以从机制这一概念的一般性角度出发,来把握这一概念所应有的意义。机制设计乃是社会竞争的结果。机制与竞争密切相关。没有竞争,大概也就无所谓机制问题了。竞争所可能带来的人与人之间的冲突,需要通过各种有形的或无形的手段,来使得竞争在一定的要求下展开。人类各项事务活动的群体性决定着某种自发生成的机制的存在。无论何种社会活动,都有一定的机制在起着引导与制约作用。当市场导向的教育改革在教育领域全面展开时,社会就会对个体及集体的教育行为提出相应的约束条件。因为市场在某种程度上即意味着行动的自由。然而任何社会都需要对个体及集体的行动自由加以约束,以保证公共利益的实现。其中一个重要的问题,就是在竞争的环境中,在数量规模扩大的情况下,如何使竞争有序,同时又使得最后的结果大大超过个人单独活动的成果。

人们对于机制的理解有各种不同的观点。但总体上可以分为以下几种。

第一种观点认为,机制即制度。不管人们对于机制做出何种解释,机制似乎总与制度联系在一起。机制即制度的运行及与制度运行相关的组织系统内部的各种关系。因此,要解释什么是机制,必须首先理解什么是制度。关于制度,通常认为是指在一个社会组织或团体中要求其成员共同遵守并按一定程序办事的规程。这样,制度至少涉及两个方面的内容,一方面是人们生活于其中,既要保证个体利益又不妨碍他人利益的基本规范;另一方面则涉及关于制度的制定,即在制度确定之前,必须要考虑一个为人们所共同遵守的制度应当如何能够被制定出来,这便是议事的规程,或办事的程序。与制度相关的概念,就是"制度建设"。制度建设则是通过组织行为改进原有规程或建立新规程,以追求一种更高的效益。制度建设意味着人们对已有制度的不满意,以及对于满意制度的追求。原有制度为什么会让人感到不满意?这涉及前人与后人的关系,以及在这种关系背后所内含的代际价值冲突。制度建设涉及对原有制度的改进和创建新的制度。它大致包括三方面内容:一是制定公共规则。不过这里的"公共"概念则需要略加说明。它在范围上有着很大的差异。有国家意义上的"公共",在这种情况下,公共规则就是国家的法律和法规;有社会组织层面上的"公共",在这种情况下,它就是组织内部的规章制度。说它是"公共的",是因为在其效力的范围内是人人都要遵守的。二是保证规则执行。制度不仅包含着应当遵守的规范,而且也包括有关规则执行后果的规范。没有这样的保证性规范,那些被视为公共的规则就不可能为人们所遵守。三是坚持公平原则。一方面,任何规则都必须指向它的效力所及范围的任何个体,或者说,任何个体都无特权能够超越规范的约束。规则面前人人平等。另一方面,规则的制定本身必须能够反映所有规则执行者的意志。无论是通过交往理性,还是通过公共理性,每一个个体都应该能够通过适当的方式参与到规则的制定中来。

第二种为系统论的观点,即认为机制是保证系统运动有序的程序和力量的总和。这种解释较为抽象。因为仅就这个解释来说,它似乎并没有告诉我们什么。因此需要做进一步的分析。管理学以复杂的管理系统为研究对象。这样,一个先于管理学研究而存在的,是系统的存在,即一个基于自然系统而存在的社会系统的存在。任何一个社会系统,都无时无刻不在运行着。它像生命的有机体那样,通过系统内部各构成要素之间的相互作用,维持着系统的生命力,驱使着系统不断地演进。在这个过程中,有两个必须要确定的问题:一个问题是,系统得以运行的动力何在,即系统为何能够如有机系统般地充满活力并不断地朝向某个神秘的目标前进?另一个问题是,系统的前进又是以一种怎样的顺序而进行的?显然,经验的事实告诉我们,它的运动变化并不是无序的,而是遵循一定的程序展开的。按照系统论的观点,系统运行的动力和程序,最终都要归结于内在于系统的机制,一种一经启动就可以自发地、不停地运动的平衡关系。故在管理学看来,所谓机制就是指管理系统内各子系统、各要素之间相互作用、相互联系、相互制约的形式及其运动原理和内在的、本质的工作方式。就如同生理机制一样,在各种构成要素保持正常的状态下,生理机制就会促使身体的各部分功能正常地发挥;反之,当各构成要素之间因机制的误置而出现紊乱时,身体的各部分功能就会失衡,从而导致身体机理的破坏。

第三种解释来自博弈论。从博弈论的角度看,机制是社会的博弈规则,是人类设计的制约人们相互行为的约束条件。生活于社会之中的每一个人的行为,都不是单纯的个人行为,而总是会影响到他人的存在或他人的行动。因此,每个人的行为都是相互行为。把个体的行为只看作是单纯的个体行为而不是相互行为,只会从根本上颠覆整个社会秩序。为此,基于这样的认识,社会组织的建构就必须考虑对人们的相互行为加以约束。当若干人聚集在一起分蛋糕时,就必须要考虑建立起能够切分蛋糕的机制,以使得蛋糕的切分公平,同时又使得这些人集合在一起而建立起社会组织。没有这样一个有效的切分机制,那么它所带来的就不仅仅是个人利益的受损,而且还将使得建立社会组织成为不可能。有效的机制就是:分切蛋糕者后取。当然,这里面牵涉到一个对人性的基本判断的问题。这个问题先于任何机制的建立。在切分蛋糕的个案中,首先它假定每个人都是自爱的,是基于理性的判断而努力使自己得到更多的好处的。如果我们假定人都是爱他人的,都是讲道德的,那么机制的设计问题便变得毫无意义。因为倘若每个人都是在替他人考虑问题,那么也许我们所要研究的,则是如何使一个人来关心他自己这样的问题。因为如果每个人都只关心他人而不关心自己,那么一个不关心自己的人又怎么能够去关心他人呢?显而易见,这样的社会也将会是一个非常麻烦的社会。

这些约束条件可以是非正式的(如社会规范、惯例、道德准则),也可以是有意识设计或规定的正式约束。而博弈规则则涉及一对设定构成,即由参与人能够选择的行动("决策集")以及参与人决策的每个行动组合所对应的物质结果。因此,从博弈论的角度来看,机制也可以定义为组织通过什么样的制度安排来激发或约束组织内个体的或群体的行为。就此而言,机制的核心就是制度安排,而其目的则是对组织内部个体的或群体的行为加以激发或约束。组织内部之所以要对其个体的或群体的行为予以激发或约束,是因为组织乃一有着共同目标有待实现的集合体。而此目标的实现,有赖于组织内部的个体间的合作与努力。没有这样一个激发或约束的制度安排,若干个体的集合体就是一个乌合之众,不要说组织的目标难实现,就是个体的需要之满足亦将变得困难起来。为什么要组织起来为实现一定的目标而努力?因组织中个体力量的有限性,决定了需要借助个体间相互的力量。

本书结合机制的制度观和机制的博弈论观点,把机制看作社会组织为激发或约束个体的和群体的行为而设计出来的制度安排。在这个定义中,机制表现出两个方面的主要功能:一是激发个体或群体的某种行为发生,这种被激发出来的行为,正是组织所期望的行为,借助这些行为的施行能够有效地实现组织目标;二是约束个体或群体的某些行为的发生,这些被约束的行为是组织系统所不期望的行为,且它们的发生将对组织目标的实现产生严重的阻碍作用。同时,定义中所提到的制度是在严格的意义上使用的,即在人为设计出来的正式规则的意义上来使用的。因为就人类的约束机制而言,大量的规则,那些对人的行为有着重要的影响的习惯、道德、风俗等,乃是自发形成的;而设计出来的制度,只是占人类的各种规则总量中的一小部分。当然从组织管理学的角度来看,管理者可以对那些自发形成的制度加以影响。这种影响的结果则可能是新的习惯或风俗的形成。

二、教学管理机制

在抽象的意义上,我们可以把"教学管理机制"理解为教学运行过程中教学系统内部各个构成要素之间的相互连贯和彼此作用的关系,是对教学运行过程属性的抽象概括。教学管理系统涉及人、财、物、时间、空间、信息等诸要素,这些要素之间的相互关系均应成为教学管理学研究的对象;但就机制设计而言,关键的要素是人,因而教学管理机制就其实质而言,所要考虑的是人与人之间的关系。任何教学管理系统内部之成员,可以在个体的意义上说,也可以在群体的意义上来说。个体的类的聚合,就形成教学管理系统内部的群体的概念。因此,机制所要考虑的人与人之间的关系,就应当是个体与个体、个体与群体以及群体与群体之间的关系。

在具体的意义上,我们将教学管理机制理解为:教学组织系统为激发和约束教学组织系统内部的个体与群体的行为而进行的制度安排。在这里,教学组织系统内部的个体,包括教师、学生、教学管理者以及高校内部与教学直接关联的其他一些人员,重点是教师和教学管理者;其群体则是上述个体的类的集合,如作为群体的教师、作为群体的学生、作为群体的管理者,等等。结合第一种有关教学管理机制的理解,作为教学管理机制研究的核心问题,就是教学管理通过怎样的制度安排,而使得教学系统内部的所有人员的教学热情和积极性都能够得以极大地调动与激发,同时又使得各种有碍于教学目标之实现的那些行为得以最大限度地减少。

组织系统内部各成员之间的行为是相互影响的,单纯地看,一个制度安排也许是好的;但是由于它必然要牵涉到组织系统内部的其他成员,因而一个看起来好的制度安排,实际运行则可能是一个坏的结果。因此,制度安排的核心是教学管理系统内部成员的各种关系的妥善处理,即从教学目标实现的角度出发,尽可能使得每个成员,无论是教师还是教学管理者,都能够心情舒畅地、全身心地投入教学工作。在对这样一个问题的研究中,一方面我们将分析教学管理的各项制度与规范(制度是对要素间关系的预先设定),另一方面,我们将研究各种非制度化的东西(如各种人际关系及其关系网络)对教学管理运行过程的影响。

三、教学管理机制的核心问题

从我们对教学管理机制的理解来看,核心的问题有两个。

(1)有助于教学目标之实现的诸行为的激发问题。从教师的教学来看,显然,认真备课、在备课的过程中查阅各种资料、对教学过程进行精心的设计、认真地组织课堂教学和实验教学、一丝不苟地指导学生的毕业论文和设计、组织学生参加各种社会实践活动和课外活动、引导学生进行科研等,不仅有利于高校生的能力培养和素质提高,也有利于促进教师的科研与学术研究。因此,教学管理就应当通过机制设计,促使上述行为的出现,并非短暂的而是持续不断地出现。

(2)与上述积极行为相反的行为,即那些不利于高校生能力培养和素质提高的行为,则需要通过机制设计,而予以抑制,使其在日常的教学工作中不被表现出来。

但是无论是教学行为(包括教学管理行为)的激发还是约束,教学管理机制的建立都必须以对教学行为的分析为条件。为此,建立有效的教学管理机制时,我们需要鉴别出对教学质量有着至关重要影响的教学行为有哪些,以及各种教学行为彼此之间的关系、教学行为与高校内部的其他方面的行为(如科研行为、社会服务行为等)之间的关系。不仅如此,还需要考察激发或约束的行为与高校教学管理系统外部环境之间的关系。这种鉴别对于教学管理机制的建立具有方法论上的意义。没有这种对教学行为及与其他行为之关系的鉴别,则一切有关教学管理机制之建立的构想都是虚空的。

特别需要强调的是,教学行为的鉴别是一项系统的管理工作。对于教学行为之鉴别意味着,为实现提高教学质量的教学管理机制能够被设计出来,却可能是无法自我现实的。它的有效实现需要以一种额外的实施机制,鉴别正是这种额外的实施机制的表现。然而要做到准确地鉴别,则需要对鉴别者给予适当的激励,以使其忠于职守。所以,教学管理机制的设计就不仅仅是对教学者的行为激发或约束的问题,同时也是一个对教学管理者的行为激发或约束问题。

四、高校进行教学管理机制创新的必要性

第一,高校进行教学管理机制创新是推动我国高等教育由精英教育转变为大众化教育的必要途径。高等教育的发展一般要经过精英教育、大众化教育、普及教育这三大阶段。我国高等教育自从 1997 年开始扩招以来,已经进入大众化教育这一阶段,这也使得我国的教育方针和体制发生变化,人民群众对教育的需求也随之发生变化。在该背景下,高等院校应创新并完善教学管理机制,包括教学理念、方法和体制等,这是我国高等教育发展的趋势对高校教育管理工作提出的必然要求。

第二,高校进行教学管理的机制创新符合我国社会因经济体制改革而推进的全面变革的需求。我国高等教育体制不仅决定了所培养大学生的素质,而且在一定程度上影响我国社会就业方式、择业方式等。可见,我国高校不仅担负着为社会培养人才的责任,还担负着如何将人才向社会输出的责任与压力。随着社会和经济的发展,对人才的需求也一直处于动态变化中,人们的职业观念、择业观念也发生了很大变化,而不是将自己局限于某一种职业规划。这些变化要求高校必须进行教学管理的机制创新。

第三,高校进行教学管理机制创新是新形势下国家人才兴国战略对高等教育提出的客观要求。人才兴国战略需要创新型人才,而培养创新型人才与高校的教学管理密不可分,两者之间是相互依存、相互促进的关系。首先,创新型人才的培养需要改革和创新高校教学管理,这是培养创新型人才的前提和基础;其次,培养创新型人才能够在很大程度上促进高校教学管理的创新,因为要想培养出创新人才,就必须严格要求高校的教学管理工作,促使其加快改革与创新的步伐;再次,通过培养创新型人才的实践,可进一步丰富高校教学管理的经验和理论,为创新教学管理机制提供有力的理论支撑。

第四,高校进行教学管理机制创新是我国高等教育发展的必然趋势,也是我国高等教育发展的重点。随着新课改的深入发展,高校必须改革和创新教学管理观念和机制,否则将难以提高自身的教学质量,实现长远发展,也不利于人才培养。近年来,高校逐年扩招,大学生数量逐年递增,加上当今社会对人才的需求趋于多样化等,这些都加大了高校教学管理工作的难度,改革和创新迫在眉睫。

第二节 高校教学管理运行机制创新

高校教学管理的终极目的在于实现高校的培养目标,即具有创新精神和实践能力之高素质、强能力的人才的培养。尽管实现高校培养目标的渠道和途径有多种,例如科研、教学、社会实践、高校社团活动等,但教学是人才培养的主渠道。高校教学目标实现之好坏将直接决定着人才培养的质量。因此,高校教学管理必须要建立良好的教学组织目标机制,以高质量的教学目标之实现,来为人才培养目标之实现奠定基础。

一、高校教学组织目标整合机制的必要性

从两个方面来看,建立高校教学组织目标的整合机制非常必要。一方面,在高校教学组织系统内部,教学组织的目标与高校教学成员个体的目标之间存在着不一致性,这种不一致性将会妨碍高校目标的实现;另一方面,高校教学目标一旦能够得到个体成员的认同,将使其成为实现个体目标的手段,那么它将能够发挥极大的管理效应。

教学组织目标在高校教学管理中具有激励、导向和调节与控制等多重效应。教学组织目标所具有的管理效应,使其对教学组织目标机制的建立提出了规范性要求。

(一)高校教学组织目标的激励作用

目的性是个体行为的特点。行为有无目的性,其行为的结果是大不一样的。心理学的研究表明,无目的的练习,其效果较之有目的的练习要小得多。高校教学组织目标的激励作用主要表现为对教职员工的工作积极性的调动。教学组织目标为教职员工描绘了教学的理想状态。这种教学的理想状态不仅表明了社会对于教育价值的追求以及对于美好生活的向往,而且还指示了这样一种个体意义,即完整的个体只有在社会总体的教育理想之实现中,才能够真正实现其自我的价值。因此,高校教学组织目标的实现,在精神的意义上,是个体的自我超越性追求。它所体现的,并非高等教育的功利性价值,而是高等教育的精神性价值。

(二)高校教学组织目标具有导向作用

所谓目标的导向作用,是指高校教学组织目标能够为高校教学系统内部的所有成员提供教学的方向引导,从而将有限的教学资源聚集性地运用于实现预定的目标上来。人的活动是有方向性的。而指示这种方向的,正是我们的活动所要努力追求实现的目标。我们可以从管理学、教育学和组织学等三个方面来理解高校教学组织目标的导向作用。

从管理学的角度来看,所有的管理活动都是指向一定的管理目标的。高校教学管理也不例外。实际上,高校教学管理活动不仅指向教学管理目标,更为重要的是,它以教学目标之实现为其终极追求。因此,教学组织目标就是高校教学及教学管理活动的方向和行动指南。正确的教学组织目标将为教学管理活动指出正确的方向,错误的教学组织目标将为教学管理活动指出错误的方向。

从教育学的角度来看,从事高等教育教学的人,每个人都有着自己的教育价值观,也有着自己的教育理想。这些教育价值观和教育理想可能与公共的教育价值观和教育理想是一致的,也可能是不一致的。然而,现代高等教育制度的建立,恰恰是要实现公共的教育价值和教育理想。为此,高等院校就需要明确教学组织的目标,以教学组织的目标来引导教师的教育价值追求和教育理想的实现。高校教学组织目标的作用就在于,通过设立明确的教学组织目标,规定教学可能的发展方向,以实现高校的教育价值追求。高校教学管理目标向其教职员工明确无误地宣示,学校教学应当朝着什么样的方向发展,这不仅对于高校教学管理来说是重要的,而且对于教职员工来说也是重要的。

从组织学的角度来看,学校的教学组织系统是分成不同层级的和不同的子系统的。高

校教学组织机构之设计,都要围绕着教学组织目标之实现,并考虑教学资源之合理的配置与事务性工作的有效展开。然而一旦教学组织系统建立起来,则教学系统内部的组织机构便获得了某种自足性,进而形成特殊的利益群体,从而也就产生了组织机构的内部目标。因而,从事实的层面观之,不同层级的教学组织和子系统有着不同的目标,从而决定着不同层级组织的发展方向。在这种情形下,由于教学组织系统之原初的目标就可能被组织机构的内部目标所置换,因而就更需要教学组织目标来引导教学组织机构的各项工作。

(三)教学组织目标具有调节作用

教学组织目标机制的建立还在于充分发挥教学目标的调节作用。通过建立教学组织目标机制,以及在此机制的作用下开展各种目标管理活动,可以使学校各部门以及成员不断地端正方向,统一思想,自觉调节各自的行动,协调各方面的关系。高等院校是由若干组织机构和教学机构建构的共同体。各组织机构和教学机构彼此相互关联,又各有其特别性。部门和部门之间、教学组织机构和教学组织机构之间,都在全力以赴地努力工作,以实现各自的目标追求。然而,它们却又可能处于彼此冲突的状态之中,从而导致高校管理的内耗。因此,就需要对各个部门和各个教学机构进行协调。那么靠什么来协调呢?从管理学的角度来看,协调的策略是多种多样的,但不管采取怎样的协调策略,都必须遵循一个宗旨,即高校内部的所有部门和教学机构,其各项工作都应该以实现教学组织目标为目标。任何妨碍高校教学管理机制研究教学组织目标的行为和举措,都必须加以制止。为此,高校各个管理部门及教学机构在制定各自的组织目标时,都必须要明确学校教学组织的整体目标,并使组织系统内部的目标服务于教学组织目标之实现的需要。同样,高校的教职员工的个体行为,亦必须相互协调,自觉调节自身行为,为实现整体目标而努力。

二、高校教学管理中的目标整合

高校要实现高效的教学管理,提高管理绩效,对高校教学组织目标进行整合是非常必要的。如果高校教学管理不能够实现组织目标与个体目标、外在目标与内在目标、对象性目标和反身性目标、教学目标与教学管理目标的有机整合,则最终的教学目标以及提高高等教育质量,都将成为空谈。

(一)目标类型应具有的关联性

在教学管理的目标机制的设计过程中,我们应该从现实的前提出发,承认目标主体的不统一性与差异性。在各种有关高校教学目标管理研究的规范性表述中,如"形成整合一致的目标系统",由于以规范陈述替代描述陈述,而导致高校教学组织目标整合机制的缺失或不全。在这种情况下,目标机制就为目标管理所替代,即管理者将学校教学组织系统的总任务转化为各管理部门、各教学机构的共同目标,然后在此基础上分解成组织目标和个人目标,并把这些目标作为组织经营、评估和奖励部门和个人贡献的标准。这并不是说目标管理不具有管理理论的合理性,而是说,高校教学目标管理并不适应于作为培养人的社会组织的高校。其中存在的问题在于,高校的教学目标之实现,由于主要是落实在学生的身心变化方面,而学生的身心变化却很难通过具体的行为目标来加以衡量。高校教学目标管理的更大的问题在于,它有可能使得高校教学管理演变成某种外在的功利性的追求,从而从根本上消解高等院校的办学宗旨。

高校教学管理的外在目标和内在目标、组织目标和个体目标、教学目标和教学管理目标,以及对象性目标和反身性目标的对立与竞争,使得在教学管理中,有关组织目标的形成及不同目标的整合成为一个核心问题。在各种对立和竞争的目标中,有两对目标关系在所有目标关系中,处于核心地位,这就是组织目标和个人目标、内在目标和外在目标。这两对矛盾关系的不同组合,将直接影响到高校教学管理目标整合机制的建立和有效运行,因而具有高校教学目标整合机制建立的方法论意义。内在的组织目标与外在的个人目标虽具有主体间的差异性,但却同时具有目标内容上的一致性。这就是说,看起来内在的组织目标与外在的个人目标是两个不同的目标,但实质上它们是同一个东西,即只有在相对于个体而言,在组织所赋予的意义上,组织的目标对于个体来说才变成外在的。从高校教学管理的有效性出发,在组织层面,必须使外在的组织目标的实现成为内在的组织目标实现的手段与途径;在个人层面,使外在的个人目标的实现成为内在的个人目标实现的手段与途径;在两者的关系层面上,使内在的组织目标实现成为内在的个人目标实现之手段与途径。因此,对于高校教学管理的目标机制来说,具有决定意义的,是目标在三个层面上的确定、整合与实现。

(二) 目标共识达成的可能性

所谓目标共识达成,是指高校教学组织所确立的目标能够为教学组织系统内部所有的教职员工所认同,并且能够在现实的教学中以该目标的实现为工作的努力方向。简言之,目标共识应当主要集中于高校教学管理目标上。目标共识的核心是认同教学管理目标即高校教学组织组织的整体目标,同时也是个体应当努力追求实现的目标。

目标共识达成的焦点问题是有关高校教学目标的确定。高校教学管理的目标整合机制主要考虑后一个问题。然而,如何确定目标与确定什么样的目标是分不开的。教学管理的目标整合机制,实际上是一个通过目标的确定、整合、实现的过程,使得教师和教学管理者都能够认识和了解为什么要确定这样或那样的目标,它对于高校组织发展和个体发展将具有怎样的意义,所确定的目标的具体内涵是什么,以及为了实现该目标,教职员工应该做些什么,不应该做什么,等等。因此,虽然目标的确定与目标确定的机制在所涉及的问题上有所不同,但是,目标机制在考虑依据什么来确定教学管理目标以及如何确定教学管理目标的问题上,则必须考虑确定什么样的目标问题。

高校教学管理的目标确定,根据其变化的情况,可以分为常规性的教学管理目标和教学改革的管理目标。常规性的教学管理目标通常与上级部门的要求与指令有关,也与学校的地位与社会功能的定位有关。在这种情况下,教学管理的目标确定过程,是一个结合学校的实际情况而明晰化的过程。例如,1998 年教育部高教司颁发的《高等学校教学管理要点》明确指出"为了实现高等学校教学的科学化和规范化管理、切实提高管理水平、教学质量和办学效益,保障高等学校人才培养目标的实现。"这类目标,便属于常规性的教学管理目标。对这类目标的确定,主要的任务是如何结合学校的教学及管理实际,将目标所包含的内容要求更进一步地明确化和可操作化。改革性的目标确定,较之常规性目标的确定,是一个更为复杂的问题。其复杂性在于,改革的目标确定,没有常规性目标确定所具有的基本标准,它必须围绕改革所要解决的学校教学及教学管理中存在的实际问题来制定。它不仅要考虑各种内外可能的影响因素和各种主客观因素,同时还要考虑因改革而带来的利益格局改变可能引发的矛盾与冲突。

第三节　高校教学管理决策机制

从广义上说,目标的确定过程也是一个决策过程。但是由于目标的确定不仅涉及高校内部成员的参与问题,而且还涉及高校外部的政治要求和公共要求,因而,高校内部的目标在更多的情况下是被赋予的,即我们在上文所说的,是外在的目标。当然这里面也涉及内在的组织目标,即自主确定的目标。无论是赋予的还是自主确定的,教职员工的参与都不可缺少。参与的过程是一个广泛的动员和宣传的过程,也是一个激励与导向的过程。本节所讨论的决策机制,主要是在狭义上说的,即在目标确定之后如何恰当而有效地选择实现目标的手段与途径。

一、高校教学管理决策的内涵及限定因素

高校教学决策机制设计涉及两个方面的问题:一是有关如何确定实现目标的措施和手段问题,二是如何运用措施和手段来实现教学组织目标的问题。为此,我们可以从高校教学决策过程、高校教学决策的构成要素和高校教学决策的限制条件等方面来对此加以阐述。

(一)高校教学管理决策作为选择过程

第一,高校教学管理决策是一个集体选择过程。选择是在众多的可能性中选定一种可能性作为行动的基本策略。这种选择可能是个体意义上的,也可能是组织意义上的。人类的行动是在不确定性的情境中进行的。不确定性将使得人的行动策略具有多种可能性。每一种可能性看上去似乎都具有合意性。然而一旦选择某种可能性并付之以行动,人们就会发现结果并不合意。经验的证据以及教训告诉我们,面对困境,我们需要三思而后行。从个体的成长历程来看,人一生需要做出无数次选择,每一个选择就是一次决策。并且总有那么几次决策会直接影响到整个人生。个体如此,集体更是如此。集体是数目有限的个体的集合体。相对于个体决策而言,集体的每一次决策不是影响某一个体的事情,而是会影响到整个集体中所有人的行为。因此集体的决策显得更为复杂和困难。

作为一项集体的决策,高校教学管理应当能够使得其行动方案直接影响到高校内部教职员工的个体选择行为,从而引导教职员工能够齐心协力去实现高校教学组织目标。有效的高校教学管理决策机制,就是要在实现高校教学组织目标的集体行动中,能够有效地促使教职员工参与到集体的选择过程中。

第二,高校教学管理决策是一个以问题为导向的选择过程。不确定性是问题的情境,问题则是不确定性的表现。因此决策就是一个以问题为导向的选择过程。在高校教学管

理实践活动中,人们可能会面临各种各样的教育教学问题,这些问题大都产生于教育事态的发展与我们的教育期望之间的差距、产生于一些事情做起来有一种困难的感觉、产生于一些事情本身背离我们的价值观。一旦问题出现,高校教学管理者就需要采取积极因素的行动处理、去解决。没有问题的存在,也就没有决策活动存在的必要。一切选择的目的在于解决高校教学管理实践中存在的各种问题。

高校教学管理决策涉及与教学有关的多方面的问题,包括教学计划的制定问题、教师的选任问题、师资队伍建设问题、教学管理制度问题、人才培养的素质要求问题、教学资源的配置问题、课程内容体系建设问题、教学评价问题,等等。每一类问题之解决,都有多种行动的方案。高校教学管理决策就是以所要解决的教学及管理中问题为导向,对各种可备选的行动方案加以权衡,从而选择较优的行动方案,以实现高校教学管理目标和教学目标。

第三,高校教学管理决策是一个针对问题而确定未来行动方案的选择过程。面对问题,高校教学管理者就需要确定一定的行动策略以解决之。而一旦实施某种行动,则高校教学管理者就需要考虑行动的目标、方向、原则、过程、方法等。在高校教学集体的行动中,在假定教学管理目标及教学目标之共识已经形成的前提下,高校教学管理者就必须围绕现实的教学问题和教学管理问题,而采取切实有效的行动方案。例如,就教学管理制度而言,可供选择的方案,至少有三种,即学年制、学分制、学年学分制。究竟选择何种方案,不仅要考虑我国高等教育的基本方针,而且还应当考虑目前的整个社会的就业环境和学校的办学水平。再如,有关高校教师的教学激励问题,可以采取只指向教学的激励策略,也可以采用指向教学与科研相结合的激励策略。究竟采取何种策略,也需要视学校的办学目标和高校已经形成的传统来确定。总而言之,高校教学管理决策不仅要确定集体的行动目标,而且还要选择实现集体行动目标的原则、过程和方法。

(二)高校教学管理决策的构成要素

在高校教学管理中,管理者可能会面临各种不确定性的情境,为此需要进行不断的选择。这种选择虽然是以管理者的名义做出的,但是它所代表的是一种集体的选择。高校教学管理决策机制就是如何通过制度安排而使这种选择更加符合集体理性,并使高校的教学管理决策活动更有效率。从这一基本的概念出发思考高校教学管理决策机制问题,要澄清三个概念,即决策者、决策方式和决策内容。

第一,高校教学管理决策者。谁拥有高校教学管理决策权力?这个看似简单的问题其实非常复杂。其复杂的原因在于,高校教学管理者并非一个全能者,也并非掌握着完全的决策信息。一些有利于决策的信息往往为下属所拥有。因此,为着决策的科学性与合理性,有必要根据决策的内容而在某种程度上分散决策的权力。"谁拥有决策的权力"这个问题必然地与"决策什么"这个问题紧密联系,从而又在根本上决策着"如何决策"这个问题的回答。从管理方法论角度看,决策什么决定着谁有权力进行决策;而从管理实践论的角度看,则是,在高校教学组织系统中占有一定地位的决策主体拥有对某些事情进行决策的权力。高校的教学管理决策主体构成,从管理层级上,可区分为学校教学决策主体、院(系)教学决策主体、教研室及教师教学决策主体。不同决策主体承担着不同的决策使命,履行着教学系统各自要求其履行的职责。在学校层,教学决策主体需要对学校有关教学改革与发展的目标、思路、方针等进行决策;在院(系),教学决策主体在其权限范围内对关系院(系)教学发展的事务进行决策;在教研室层,教学决策主体则需要对一些具体的事务和具体的问题进行判断和处理。尽管它的影响和意义不如学校决策主体所做的决策重大,但一切宏观的教学决策与方案的结论都需要通过微观的实施才具有实际的意义和存在的价值。在组织的微观层面,需要考虑如何正确地执行上级宏观的政策和方案。这种选择过程虽不明显,却意义重大。因此,在有关教学决策机制的研究中,有必要对此加以关注。

第二,高校教学管理决策内容。从内容上看,高校教学决策可分为教学行政决策和教学业务决策。前者涉及学校及院系与教学有关的各种资源的分配与组织,例如新聘教师的任用、教学任务的安排、教学制度的建立;后者则涉及教学领域的一些事务的确定,如教学计划的修订、专业与学科发展的规划、课程与实习基本的建设等,通常教学行政决策多由教学管理者做出,而教学业务决策则多由教授做出。但不管是教学行政决策还是教学业务决策,决策主体都不是由单方面的人员所构成,而是由教学行政管理者和教学业务工作者相互组合而构成。区别在于在整个高校教学决策过程中谁是主导者、谁是参与者。在高校教学行政决策中,教学行政管理人员是决策的主导者,而专家型的教师多为参与者;反之,在高校教学业务决策中,专家型的教师多为主导者,教学行政管理者则成为参与者。

在我国高等教育教学改革不断深入的今天,高校教学决策的主要内容包括:教学计划的修订、教学激励制度的建立和完善、教师的任用与晋升等。由于这些工作直接关系到高校教学质量的高低,故在高校教学决策中占有重要的地位。不同工作领域决策的最终结果是形成行动方案,即决策方案。教学决策就是要在众多的看似合理的各种行动方案中选择效率高、收益大的方案。应该指出的是,这个过程是一个非常艰巨的探索性的过程,也是一个不断协调个人偏好的过程。由于不同的方案对不同的个体而言意味着不同的利益,因而不管是在哪个领域,决策都需要不断的协商,都是一个从发现问题到解决问题的过程。

第三,高校教学管理决策的方式。高校教学管理决策方式总体上看可以有三类,即教学行政负责人的独立决策、教学管理委员会的集体决策,以及集体参与和行政首长相结合的混合决策。三种决策方式各有其利弊。独立决策能够显著地提高教学管理的效率,然而它对教学决策者的个人素质则提出了极高的要求。由于高校教学管理不仅涉及不同学科门类的专业知识,而且还需要具有坚实的管理理论,通晓各个学科领域以及教学管理领域的复合型管理人才在现实的高校生活中难以寻觅,因而独立决策对于高校教学管理来说,有着很大的风险和弊端。集体决策能够弥补独立决策的弊端,但是它也有一定的不足,即如果决策委员会对于某项决策存在重大分歧时,就会出现议而不决的现象。这种议而不决的现象会直接影响到高校教学管理目标的实现。因此,相对而言,混合的决策方式兼具上述两种决策方式之不足。当然,在现实的高校教学决策中,要寻找到一个十全十美的决策方式,那显然是不可能的。高校教学管理者所能够做到的,就是通过比较和权衡,在诸多均存在弊端和问题的方案中,选择弊端最小的那个方案。究竟采用何种决策方式,也还需要综合考虑决策的内容,决策对高校教学所可能产生的影响力及影响范围,以及高校外部的政治环境,高校内部的教学和学术生态环境。此外,对于集体决策或混合型决策来说,决策群体的人员构成也是高校教学决策机制必须要考虑的问题。显然,决策参与者的人员构成不同,最后的决策结果也会有很大的不同。

(三)高校教学管理决策的限定因素

西方新自由主义思潮代表人物弗里德里希·奥古斯特·冯·哈耶克指出,"假设我们拥有所有相关的信息,假设我们能够从一个给定的偏好系统出发,又假设我们掌握了有关可以使用的手段或资源的全部知识,那么剩下的问题也就只是一个纯粹的逻辑问题了。"问题是,这个假设并不存在。对于高校教学管理者来说,没有谁能够拥有完全的信息,高校教学管理组织也不是一个偏好一致的系统,高校教学管理者也并不具有完全的有关实现目标的手段知识。因此,如果我们把高校教学管理看作是一个建立教学秩序的活动,那么毫无疑问,高校教学管理决策将同样面临哈耶克所说的约束因素问题。

第一,教学管理系统内部知识的有限性。教学管理的科学决策需要完全的知识。然而,无论是在逻辑上还是在管理的实践中,这种有效的教学管理所需要的完全知识都是难以获得的。从知识的形式上看,"我们必须运用的有关各种情势的知识,从来就不是以一种集中的且整合的形式存在的,而仅仅是作为所有彼此独立的个人所掌握的不完全的而且还经常是相互矛盾的分散知识而存在的。"从知识的性质上看,"我们只要稍加思索就会发现,现实生活中无疑存在着一种极其重要但却未经系统组织的知识,亦即有关特定时空之情势的那种知识——它们不可能被称为科学知识(也就是一般性规则之知识那种意义上的科学知识)。正是在这个方面,每个人都掌握着有可能极具助益的独一无二的信息,但是只有当基于这种信息的决策是由每个个人做出的或者是经由他的积极合作而做出的时候,这种信息才能得到运用。"哈耶克有关对决策来说不可缺少的知识之论述,对于高校教学管理决策来说有着这样一些启发。首先,高校教学管理决策所需要的知识,往往是分散的而非集中的。为此,合理而有效的决策就需要高校教学管理者必须不断地收集与决策相关的各种知识。而这意味着,在进行教学管理决策之前,需要做好知识的搜寻与整合工作。其次,高校教学管理决策所需要的知识,并不仅仅是指以规则的形式而出现的科学知识,而同时包括各种"未经系统组织的知识"。因而对于高校教学管理决策来说,仅仅拥有"科学知识"是不够的。再次,每个人都可能拥有这方面的知识。因而高校教学管理决策就需要认真地听取高校教学系统内部成员的意见,充分地利用他们所掌握的非组织化的知识。而这意味着高校教学管理决策需要有广泛的参与度。这种对于高校教学管理决策的参与,不仅是一个对于全体教职员工的动员和宣传,而且也是对于教职员工非组织化知识的一种合理利用和借助。

第二,偏好或价值观的不一致。教学管理意味着在这个特殊的领域,需要将特定的教育价值观强加于其教职员工。这种强加通常是以规范而正派的理由并以各种形式而表现出来。这种强加的前提就是,每一个独立的个体教育参与者,他们的偏好或价值观都是不一致的。为此,需要限制个人的偏好,以形成一个符合国家教育价值取向的偏好集合。这对教学管理决策无疑是一个极其困难的事。因为单纯的强加只是具有形式上的意义。即使以各种文件和法令的形式而公布出来,那也仅仅是公布而已。因为每个人的教育价值观通常是内隐的,只有在其教育教学活动过程中通过其教育教学行为才能够显现出来。因而,外在的强加并不能够真正保证偏好或价值观的根本一致。一个可能性的方法就是对教职员工的偏好或价值观进行加权,从而得到一个近似一致的价值取向。然而对每一个不同的个人偏好进行加权总和,不仅可能所得结果与国家的教育理念相距甚远,而且其管理成本也极高。此外也还有一个技术的难题,即如何对个人偏好进行总和的问题。可行的选择是,依据不同的教学管理内容,将有关教学价值观分解为不同的层级,进而将此问题授权给不同层次的管理部门。

第三,个体理性与组织效率的矛盾。遵循有限理性人的假设,个体行动的准则乃是获取效用的最大化。由于高校内部各种资源的有限与不足,个人效用最大化的理性追求,不可避免地会导致集体利益的损害。其突出表现之一,就是群体效率的降低。博弈论有关囚徒困境模型,则在理论上证明了个体理性与群体效率之间的矛盾,即当每个人都做出理性的选择时,双方所能够得到的只是次优的结果。个体理性与组织效率之间的矛盾同样给教学管理决策带来了深层次的困难。站在个体立场上,个体希望的任何一项教学决策都有利于他自己,即能够获得最大的效用,然而当每个人都做如此之期望时,组织的决策效率就会降为很低点。

因此,基于上述三个有关决策的限制因素的存在,高校教学管理决策机制就必须能够通过高校内部的制度设计和安排,使得实际存在的限制因素变为积极的因素。简言之,高校教学管理决策机制设计应该能够做到,让教职员工能够参与管理决策,从而充分利用他们的个体知识;让高校教学组织系统的教育价值观之实现成为一种对于教职员工来说具有手段意义的中介,从而在追求或满足自我偏好和价值观时,以教学组织的教育价值观为指向;利用而不是排斥教职员工的理性特征,从而在个体理性和组织效率之间寻找平衡点。

二、高校教学管理决策机制分析

(一) 高校教员选任机制

高校教员对于教学质量的意义非凡,高质量的教师队伍,在一定意义即意味着高质量的培养质量和教育质量。尽管教师队伍的质量与高校内部的教师队伍建设与管理有关,但是新进入者的基本素质,具有奠基性的作用。具有一定的教学潜力和科研潜力的年轻学者,能够被选进教师队伍,在适宜的教学和科研环境下,将能够很快地成长,而成为教学与科研中的骨干;反之,则可能会出现不合格的从教者。为此,教员的选用不能不慎重。不同的选任机制将使得不同素质的人进入教师队伍,使得高校教师队伍质量具有不同的基础和前提,从而带来不同的教学效果和不同的教学质量。

所谓教员选任机制是指通过合理的安排,将那些与高校教学与科研要求比较符合的人员选拔到教师队伍中来。高校教员的选任机制,所要解决的问题是,如何保证具有一定素质的人员进入高教队伍,以及通过何种方式使得具有某种能力的教员升入高一级职位。归结起来,就是通过有效的教员选任机制,将具有某种隐性特征(懒惰、不诚实、不忠诚、无能等)的人员,排除在高校教员的队伍之外,而将具有高校教学与科研所必需的积极性、竞争性以及探索精神与能力的人员选入教员队伍之中。

对于选任者来说,对应聘者需要确定的是三个方面的品质,即职业精神和伦理道德品质、教学水平潜质以及科学能力潜质。这三个方面的品质将决定着一个人作为教师的未来发展潜力。但是这三个方面的品质却不是容易确定的。最根本的原因在于,有关职业精神和伦理道德品质、教学水平潜质和科学能力潜质作为信息,属于应聘者的私人信息,并不为选任者所掌握和了解。从职业精神和伦理道德品质方面看,学校当然希望能够招聘那些工作积极性高、竞争性强、具有主动进取和奉献精神且对学校具有忠诚感的人来充任教师队伍。但是以什么为根据来判断应聘者具有这些品质呢?"听其言"是不足以表明他具有这些品质,而"观其行"则只有在录用之后才能实施。一旦录用后发现被录用的教员不具有高校所需要的品质,则不仅会给教学管理带来很高的成本,而且也会给教学工作造成不可估量的损失。

因此,高校教员选任机制所要解决的根本问题,是有关应聘者具有怎样的素质的信息搜寻问题。各种面试、试讲、个人档案和简历、自我陈述、作品展示等,无非是选任者掌握应聘者个体素质的手段和方式而已。

(二) 高校教学计划编制机制

高校教学计划是学校和教师开展教学活动的指导性文件,也是高校教学管理者进行教学管理的基本依据。任何教学计划都应以实现教育目的和培养目标为旨归,此乃国家设立高等教育制度之价值要求。在我国,教学计划是为了实现"培养德、智、体全面发展的社会主义事业的建设者和接班人"这个教育目的而制定的。在教育目的确定的前提下,教育部在宏观上所确立的不同层次、不同类型的高校学校的培养目标及与此相对应的指导性的教学计划则是学校制定教学计划的基本依据。但是这并不意味着高校的教学计划问题就已经解决。因为指导性的教学计划只是确定了不同高校教学计划的基本框架与要求,却缺乏更为具体和可操作的详细内容。同时,学年制的教学计划在本质上是不同于学分制的教学计划。这使得教学计划的制定就成为高校教学管理决策的主要内容之一。尽管教学计划一经确认,就具有相对的稳定性和持续适用性,然而社会环境的快速变化以及由此而带来的人才培养规格方面的新要求,使得一般而言教学计划的编制工作对于高等院校来说仍是经常性的工作。以四年制本科为例,大体而言,每四年或八年就有可能需要对教学计划进行修订或重新编制。所以,确立有效的教学计划编制机制对于保证高等院校的教学质量就具有重要的意义。

从教学计划的内容构成来看,教学计划具有相当的复杂性。一般来说,教学计划包括专业培养目标,即学生通过一定学时的课程学习将要达到的基本素质要求;课程结构,即各种类型课程相互间的分工配合;主要教学活动,即课堂教学、实验教学、实习见习、社会实践、毕业论文和设计等;时间安排和学时分配以及学年编制。由于教学计划所涵盖的内容众多,因而教学计划的编制工作是复杂的。在给定的高校分配制度的前提下,可能的教学计划之多样性与现实的教学计划之唯一性,使得教学计划的制定在客观上成为内部成员利益分配的预先设定。单纯从理论的视角看,教学计划当以能够实现高校培养目标、促进大学生在知识能力和素质等方面完善为旨归。然而教学管理实践在考虑理论的逻辑同时,更需要考虑实践本身的特质。因为在高校内部市场化的背景下,实际的教学管理过程并非以理论为导向的,而是以利益为导向的。这样,教学计划的决策就包含着两个方面的问题。一是什么样的教学计划最能够实现国家的教育目的及高校的培养目标,使得大学生既能够

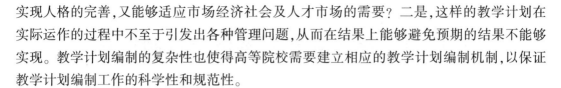

实现人格的完善,又能够适应市场经济社会及人才市场的需要? 二是,这样的教学计划在实际运作的过程中不至于引发出各种管理问题,从而在结果上能够避免预期的结果不能够实现。教学计划编制的复杂性也使得高等院校需要建立相应的教学计划编制机制,以保证教学计划编制工作的科学性和规范性。

(三)高校教学制度创新机制

高校教学制度创新,是高校教学组织系统为应对外部社会变革所做的自我适应性的制度调整,是以一种新的教学管理制度来替代已经施行的并且不那么具有适应性的教学管理制度的管理实践。因此,高校教学制度创新过程,实际上是教学制度重构的决策过程。随着我国社会主义市场经济体制的建立和完善,社会利益主体的多样化和价值观的多元化,我国当代高校内部的教学制度创新,是在利益主体多重构成和价值与文化多元的背景下展开的。在这样的社会背景下,对教学管理制度重构形成基本共识,便成为高校教学制度创新的基本问题和保证制度创新可能成功的首要条件。

任何制度都是公开的规范体系。高校教学管理制度也不例外。区别只在于,这种公开的范围只是在特定的高校范围之内,并且只对高校所属成员起着激励和约束作用。作为公开的规范体系,它明确规定人们事实上能做些什么,不能做些什么,拥有什么权利,承担什么责任,以及规范行为后的各种结果。罗尔斯指出,制度明确规定"职务和地位及它们的权利、义务、权力、豁免等。这些规范指定某些行为类型为允许的,另一些则为禁止的,并在违反出现时,给出某些惩罚和保护措施。"因此,高校教学制度创新或重构,实质上是高校有关教职员工教学的权利、义务和职责上的重新分配。由于权利、义务和职责的分配与个体的利益密切相关,因此高校作为知识工作者的联合体,通过高校教学管理制度重构来重新分配有关权利、义务和责任,就面临一个如何使高校所属成员对此达成共识的问题。

从高校教学制度所实现的利益来看,高校作为教育事业的联合体,其教学制度安排涉及诸多方面的利益追求,不仅涉及人民利益和国家利益,也涉及作为联合体的高校自身利益,而且还涉及高校内部所有成员的个体利益。高校内部所蕴含的各种利益的统合与冲突,使得这种高校教学管理制度创新呈现出相当大的复杂性和一定程度上的冲突性,使得教学组织系统内部微观的制度安排能否保证社会公共利益和国家利益的实现,就成为一个悬而未决而又不能不决的问题。高校教学制度创新,不仅首先要保证社会公共利益的实现,同时也应该能够保证高校联合体利益的实现以维系高校自身的存在与发展,并且两种利益的实现还不能以损害教师个体的利益为代价。否则高校教学制度创新就可能会陷入口头上的或纸面上的空谈之中,而不能给高校的各项工作带来实质性的改进,从而带来高校教学管理制度创新过程中的阻抗问题。

对于高校教学管理制度创新的管理者而言,关键的问题是如何才能保证三种利益的共同实现,或者说如何以一种更合乎理性的方式而不是独断的方式,既保证社会公共教育利益的实现,又能在不同各方(国家、社会、高校、教员、学生等)之间就重构的制度本身达成共识。

第四节　高校教学质量监控机制创新

一、教学质量监控

在管理学上,"监控"作为学科范畴,有其特定的含义。在古典管理理论中,监控即"控制",意指管理人员为保证现实工作能与计划一致而采取的某种行动。它涉及对下列三个问题提供解答的方法:计划和预期的结果是什么? 用什么方法能将实际结果和计划结果进行比较? 被授权的人适于采取什么样的纠正行动? 归结起来,监控涉及三个方面的管理活动:确立标准、搜集信息、纠正偏差。其管理的重点在于使出现偏差的行为恢复常态。在现代管理理论中,人们更多地倾向于用"监控"来替代传统意义上的"控制",用来表明施控主体对受控客体的一种能动作用,它包括"监督"和"控制"两种管理活动。监督即使行为主体处于被观察状态,从而获得行为主体有关信息,其目的在于保持或维持主体的某种行为状态。控制是建立在监督基础上的纠正偏差行为,即通过不断的信息反馈与必要的强制性措施,而使行为主体偏离目标的行为得以纠正,其目的在于引导系统主体行为呈现某种预期状态,或改变行为主体的行为状态。

据此,我们认为,教学质量监控就是为保证和提高教学质量而对教学过程实施的一种管理活动,其本质就是通过某种科学的方式,搜集与教学活动有关的信息,通过一定途径和方式将所获得的教学信息加以反馈,并依据反馈信息对教学工作加以完善,使其教学主体行为满足组织期望。这种教学信息的搜集与反馈活动,实质上根据教学质量标准,通过必要的制度和方法,把教学全过程中影响教学质量的有关因素尽可能地监控起来,建立全面质量的工作体系。它以教育目的或培养目标为标准,衡量实际的教学活动与预定目的或目标的偏差,从而有针对性地采取措施,以确保预期目的或目标的实现。

企业界的全面质量管理思想的突出特征主要在于它的全面性,即它管理的质量是全面的,包括一切质量要素——工作质量、产品质量和服务质量等。由于企业活动与教育活动之间存在着很大的不同,因而在质量管理上也呈现出某些显著的差异。早已有论者指出,教学质量管理,既包括对学生的质量管理,也包括对工作质量的管理。但是教学质量管理的重点还应是对工作质量的管理,特别是对教学工作质量的管理。因此作为全面教学质量管理的核心内容之一的教学质量监控,其重点也应是对教学工作质量的监控。

二、教学质量监控机制

教学质量监控的目标指向教学质量。为了保证教学质量的高标准,教学管理者能够对教学个体所有的教学行为进行监控那当然是最好的。但实际上对教学行为进行全程全方位的监控既无必要,也不可能。这种不可能性源于教师教学行为本身所具有的特点,以及全程监控所带来的较高的管理成本。教学质量监控机制的设计与建立就是要解决这些问题。教学质量监控机制就是通过信息的获得与反馈,对教学系统内部结构的关系加以安排,从而实现教学管理系统内部自动化的操作,即当教学个体的某种非预期的教学行为达到某种状态时,即自动激活某一因素而对其加以调节,使其不至于超过某种临界状态。因其核心与关键是信息的收集与反馈,因此教学质量监控机制也可以称为教学信息搜集与反馈机制。教学质量监控的焦点与核心问题是:谁监控谁?教学质量监控机制关注的核心问题是:通过哪些途径和办法使得行为主体承担起监控责任来,以实现有效的教学质量监控?其目标是:建立学校全面质量管理体制并实行全面教学质量管理,形成学校在教学质量上的自我约束、自我激励、自我发展的机制,增强学校主动适应环境变化的能力,促使学校教学活动满足社会和学生的基本需要,不断改进和提高学校人才培养活动的质量。

三、创新"三全一化、四位一体"的高校教学质量监控机制

(一)构建地方高校教学质量内部监控与评价长效机制的基本框架

高校内部"三全一化、四位一体"教学质量监控与评价长效机制的基本框架与核心内容是:在吸取、运用现代管理学有关理论的合理精髓的基础上,通过组织体系、制度体系的构建以及持之以恒的实践,富有创造性地构建以"三全"(全员参与、全程监控、全面评价)为基础,以"一化"(常态化运行)为特色,集"多元监督机制""分类评估机制""考核激励机制""持续改进机制"四种机制于一体的长效机制。

1. 全员参与

在教学质量监控与评价过程中,从学校领导到普通职工,从教师到学生都是参与者,既是教学质量监控与评价的客体,又是教学质量监控与评价的主体;树立"全员质量意识",全校上下,人人关心教学质量,人人服从和服务于教学质量的提高,人人都是教学质量的责任人。

2. 全程监控

教学质量监控与评价既涵盖从学生入学到毕业的整个培养过程,又对教学工作的各个具体环节进行全过程监控。例如,对理论教学,从教学大纲、选用教材到授课,从教学内容、教学方法到平时作业,从试卷命题、试卷评阅到试卷分析等,均进行监控。

3. 全面评价

教学质量监控与评价涉及教、管、学各个层面,既评教、评学,也督管。首先,对教学工作的各个方面进行监控与评价。包括对专业建设、课程建设的评价和对课堂教学、实践性教学等环节的监控。其次,对教学建设项目的各个方面进行评估,制订科学合理的评估方案,开展校内专业评估、课程评估,从培养模式、师资建设、教学条件、教学改革、教学管理、人才培养质量、地位与特色等方面,对专业建设、课程建设实行全面评价。

4. 常态化运行

其一,本科教学质量监控与评价要成为学校的一项"正常"工作,不是一时应付,搞突击;其二,本科教学质量监控与评价应成为学校的一项"经常"工作,应持之以恒、常抓不懈、制度化、经常化。教学质量监控与评价能否做到常态,是高校内部教学质量监控与评价长效机制是否真正建立的重要标志。

5. 多元监督

一是监督主体多元,既有教学管理人员,也有广大教师和学生,既以校内专家为主,也吸纳部分校外专家参与;二是监督内容多元,既有对教师教学各个环节的监督,也有对学生学习状况的监督,还有对教学管理的监督;三是监督手段多元,如听课、评教、专项教学检查等。

6. 分类评估

一是在教学评估时按学科进行分类,组成评估专家组(如文科组、理科组、工科组、农医组等)进行考察评估;二是在教学评估的项目上进行分类,例如,学院教学工作水平评估、专业评估、课程评估、学生社会实践评估等;三是在教学评估方案指标的设计上进行分类。

7. 考核激励

在本科教学质量监控与评价过程中,通过实行教学工作目标管理与年度量化考核、开展各种竞赛以及各类优秀教学奖的评比表彰等活动,构建科学完善的教学质量激励机制,进行积极有效的考核激励,使教学质量监控与评价既具有指导教学工作的规范作用,更具有提高教学质量和提升师生素质的促进作用。

8. 持续改进

无论是教学质量的监督还是教学质量的评价,都以"重在建设"为根本,对存在的问题持续跟踪、努力解决。把教学质量监控与评价作为一个持续的过程,使存在的问题得到切实解决,使教学工作有效改进、教学质量不断提高。

(二)探索高校内部教学质量监控与评价机制长效运行的实践途径

1. 形成多层面、立体化的组织保障体系

切实有效地实施高校内部教学质量监控与评价,需要建立一个独立于教学管理部门之外的专门机构,包含教学评估、教学监督、教学信息收集与反馈等基本职能,形成教学管理与质量监控并行的长效运行机制。高校可以成立"教育教学评估中心",作为学校本科教学质量监控与评价的常设专门机构,主要职责就是对学校的本科教学工作进行监督、指导、检查、评估。同时建立由教学督导员组成的校、院两级教学督导组织以及由学生信息员组成的学生监督群体,构建由教学管理系统(由校领导、教务处和二级学院教学管理人员组成)、教学咨询与评估系统(由校、院两级教学工作委员会、教育教学评估中心和本科教学评估工作专家委员会等组成)、教学监督系统(由校院两级领导、校院两级教学督导员、学生信息员等组成)三大系统组成的组织体系,各系统职能明确、分工合理、功能齐全、配套有力,为构建校内教学质量监控与评价的长效机制提供坚强有力的组织体系保障和全员参与的基础。

2. 建立健全内部监控与评价的制度体系

加强制度建设、强化教学管理是提高教学质量的重要保证。高校内部教学质量监控与评价的长效机制,应包含由一系列结构合理、功能齐全、关系协调的规章制度构成的制度体系,这一制度体系要涵盖到教学工作的各主要环节;各院(系)也应根据自身实际制定二级管理的各项规章制度和实施细则。依据上级有关文件精神,扬州大学结合学校教学工作的实际,按照"坚持有效的、完善不足的、补充需要的"的原则,充分吸收教学评建过程中的新鲜经验,对现有制度进行梳理整合,对需要调整的制度进行必要的修订完善,对平时坚持不够的制度及时进行纠正,同时对一些平时工作中行之有效但尚未形成制度的做法,进一步加以规范。确立了以校内教学评估为主线,以校院两级教学督导、学生评教和年终教学工作量化考核等为辅翼的教学质量监控与评价制度,为构建校内教学质量监控与评价的长效机制提供了完善的制度体系保障。在此基础上,学校狠抓制度的执行与落实,坚持"制度面前人人平等",坚持有章必依、有规必循、严格执行,坚持规范管理、严格管理、科学管理,充分发挥各项制度的应有作用。

3. 构建多维度立体化的激励体系

激活教师教学积极性的关键在于建立一套科学合理、行之有效的激励机制。高校应构建形成多维度立体化的教学激励机制,在全校营造起重视课堂教学、关心课堂教学、研究课堂教学的良好氛围,促使教师将更多的时间和精力投入到教学上来。

(1)量化考核,比评教学工作绩效

二级学院作为高校教学管理的主体和基础,其教学工作的好坏、水平的高低直接影响整个学校的教学工作。学校应长期实行二级学院教学工作目标管理和年度量化考核制度,每年年初制定"年度教学工作目标",年底进行量化考核,对综合得分位于前20%的学院进行表彰奖励。这种以教学工作目标管理和量化考核为基础的"绩效奖",真正能起到激励竞争、总体提升的作用。

(2)网上投票,比谁最受学生欢迎

"最受学生欢迎的任课教师"评选等,这种评选以学生的投票结果为基础,反映广大学生对任课教师的评价和喜好。这一方式打破了传统的教师申报、院系审核、学校评审的老套路。每年,学生们从10多门课程中选择一两位比较受欢迎的任课教师进行投票,不仅看一位教师的教学水平,还要看教师的教学投入、与学生的交流和自己真正的收获,而获奖教师也同样体验到了作为一个真正意义上的教师的荣耀。

(3)现场对决,比试教学水平高低

可以建立"中青年教师讲课比赛",以专家委员会的评比为基础,比赛每年进行一次,分为学科预赛、学院复赛和学校决赛三个阶段,规定35岁以下青年教师必须参加预赛;各学院通过复赛,评出进入决赛的教师名单;决赛由学校组织,评委由教学专家和学生代表组成,未进入决赛的青年教师现场观摩。从预赛开始,各学院为每位参赛教师配备教学名师、教学督导或教学经验丰富的老教授进行指导,指出优缺点和问题并帮助改进;正式比赛时,由评委给出点评意见,书面反馈给参赛教师。比赛结束后,从获得一等奖的教师中分学科精心挑选部分获奖教师,为全校教师开设"观摩课",让更多教师领略不同学科的教学艺术,从而为提高教师自身的教学水平找到灵感、得到启发。

(4)综合考评,比试教学工作成果

学校设立"优秀教学质量综合奖",每年积极承担全日制本科生教学任务,在教书育人、教学改革等方面取得显著成绩,年度内达到一定教学工作量要求,教学效果优秀的在职教师进行评选、表彰、奖励。"优秀教学质量综合奖"每年评选一次,采取"年初教师申报、督导员全年跟踪听课、年底组织专家评选"的办法。有意申报年度优秀教学质量综合奖的教师,须于每年的3月向所在学院提出申请;所在学院除组织院督导听课外,还须将申报人员名单报学校教学管理部门,以便学校组织校督导全年跟踪听课。年底,学校组成专门的评审专家组进行综合评定。

4.形成常态化运行的实践体系

"三全一化、四位一体"的长效机制重点在实践操作,关键是常态化运行。质量监控与评价既是学校的一项"正常"工作,又是学校的一项"经常"工作,关键就在于立足常态,着眼长效、真抓实干、坚持实践。高校应以监督评估的有效组织为重点,每年上半年进行课程评估、下半年进行专业评估;每年年初制订学院教学工作量化指标,年终进行量化考核;每学期正常开展教学督导、教学检查、学生评教、试卷与毕业设计(论文)调阅等日常教学监督工作。以激励机制的合理运用为抓手,长期坚持教学工作目标管理和年度量化考核制度;积极组织"百名教授风采"观摩课、青年教师讲课比赛、"年度最受学生欢迎的任课教师"评选等主题系列活动;定期开展各类优秀教学成果奖评比表彰活动;将教学督导以及校内评估的情况作为学校对专业、课程建设投入和教师各类教学奖评选、职称晋升、教学考核的参考依据。以持续改进为宗旨,建立教学督导意见跟踪整改制度,采取"一事一表"方式,将督导意见和建议及时反馈给有关部门加以处理,并将有关处理情况在下一期《教学督导信息》中予以反映;每次评估结束后,学校及时向被评单位反馈评估情况和整改意见,有关职能部门认真组织各学院制定整改方案、落实整改措施,并进行检查验收,确保实效。

第四章　高校教学管理手段信息化创新

第一节　高校教学管理信息化概述

一、管理信息系统概述

管理信息系统(Management Information System,MIS)是 1961 年在美国由 J. D. Gdllagher 首先提出的,并确定其以计算机为主体、信息处理为中心的综合性系统。

目前国内外对此的定义不尽一致,根据国际标准化组织(ISO)的定义和现代应用技术的发展,人们普遍认为:管理信息系统是由计算机技术、网络通信技术、信息处理技术、管理科学和人组成的一个综合系统,它能提供信息,以支持一个组织机构的运行、管理和决策功能。

管理信息系统为管理决策提供服务,它不仅对管理活动中发生的信息进行收集、传递、存储、加工、维护和使用,同时又为管理决策提供服务。它能如实记载组织机构各种活动的运行情况,又能利用已经发生存储的数据预测未来,提供决策依据,利用信息控制组织行为,帮助组织实现规划目标。

(一)管理信息系统的功能

系统的观点、数学的方法和计算机的应用是管理信息系统科学的三要素。其功能具体表现在以下五个方面。

1. 数据处理

数据处理即数据的收集、输入、传输、存储、加工处理和输出。

2. 预测功能

运用数学、统计或模拟等方法,根据过去的数据预测未来的情况。

3. 计划功能

合理安排各职能部门的计划,并按照不同的管理层提供相应的计划报告。

4. 控制功能

对计划的执行情况进行监测、检查,比较执行与计划的差异,并分析其原因,辅助管理人员及时用各种方法加以控制。

5. 辅助决策功能

运用数学模型,及时推导出有关问题的最优解,辅助各级管理人员进行决策。

(二)管理信息系统的特点

由管理信息系统的定义,可以看出管理信息系统具有如下的特点。

1. 面向管理决策

管理信息系统是一个为管理决策服务的信息系统,它必须能够根据管理的需要,及时提供所需要的信息,帮助决策者做出决策。

2. 综合性

从广义上讲,管理信息系统是一个对组织进行全面管理的综合系统。一个组织在建设管理信息系统时,可根据需要逐步应用个别领域的子系统,然后进行综合,最终达到应用管理信息系统进行综合管理的目标,管理信息系统综合的意义在于产生更高层次的管理信息,为管理决策服务。

3. 人机系统

管理信息系统的目的在于辅助决策,而决策只能由人来做,因而管理信息系统必然是一个人机结合的系统。在管理信息系统中,各级管理人员既是系统的使用者,又是系统的组成部分,因而,在管理信息系统开发过程中,要根据这一特点,正确界定人和计算机在系统中的地位和作用,充分发挥人和计算机各自的长处,使系统整体性能达到最优。

4. 现代管理方法和手段相结合的系统

人们在管理信息系统应用的实践中发现,只简单地采用计算机技术提高处理速度,而不采用先进的管理方法,那么管理信息系统的应用仅仅是用计算机系统仿真原来的人工管理系统,充其量只是减轻了管理人员的劳动,其作用的发挥十分有限。要发挥管理信息系统在管理中的作用,就必须与先进的管理手段和方法结合起来,在开发管理信息系统时,融进现代化的管理思想和方法。

5. 多学科交叉的边缘学科

管理信息系统作为一门新的学科,产生较晚,其理论体系尚处于发展和完善的过程中。早期的研究者从计算机科学与技术、应用数学、管理理论、决策理论、运筹学等相关学科中抽取相应的理论,构成管理信息系统的理论基础,从而形成了一个有着鲜明特色的边缘学科。

二、教学管理信息化概述

(一)信息化

信息化的概念最初起源于 20 世纪 60 年代的日本,1963 年日本学者梅棹忠夫在他的《论信息产业》一文中首先提出了信息化的概念,他认为:信息化是通信现代化、计算机化和行为合理化的总称。而西方社会是在 20 世纪 70 年代后期才开始普遍使用信息化概念的。我国关于信息化的表述,在学术界和政府内部也都做过较长时间的研究和讨论,其定义随着时代的发展而不断更新。当前我国信息化最新的定义来源于最新公布的 2006—2020 国家信息化发展战略,它将信息化定位为:充分利用信息技术,开发利用信息资源,促进信息交流和知识共享,提高经济增长质量,推动经济社会发展转型的历史进程。

（二）教学管理

教学管理是管理者依据一定的教育思想,遵循教学规律和管理规律,对教学过程进行计划、组织、指挥、协调、控制,以实现学校教育目标的过程。它是学校管理的核心,是科学管理在教学活动中的具体应用。现代教学管理的理论基础主要有管理学、教育学、教育技术学和心理学等。在以上理论当中,教育心理学中的行为主义学派、认知学派以及建构主义的教育教学理论为构建教学管理模式的理论假设提供了依据;教育技术学中的技术手段为现代化管理直接提供了实践方法。教学管理模式是依据教学管理思想和规律形成的教学管理过程比较稳固的管理程序及其方法的策略体系。

高校的教学管理是指高等学校根据一定的目标、原则对整个教学工作进行的调节和控制,从而保证教学工作有序、有效地进行,以顺利实现培养德、智、体全面发展的人才的预定目标。

（三）教学管理信息化

高校教学管理信息化是管理信息化思想在高等学校教育管理领域的衍生,它指在现代教育思想指导下,利用计算机、网络通信及多媒体等现代化信息技术,对高校教学过程进行管理,从而达到既定教学目标的状态或方式,是信息技术在高等学校教育管理领域的具体应用。高校教学管理信息化依托先进的信息技术,依据现代高等教育与管理思想,改变高等学校传统的教学管理方式,通过对教学过程实施高效率的计划、组织、指挥、协调、控制,以实现高等学校教学目标的过程。高校教学管理信息化不仅意味着高校教学管理信息系统相关硬件、软件平台的开发建设,更包含了教学管理理念的现代化、科学化、高效化。

三、高校教学管理信息化发展历程

高校教学管理信息化的发展是随着信息技术的发展而逐步发展的。在高校教学管理信息化发展过程中,由于使用的要求、开发时期和技术应用的水平不同,其大致经历了以下几个历史阶段。

（一）单机式教学管理

20 世纪 90 年代初期,由于计算机技术特别是网络技术的发展比较有限,虽然很多高校教务处开始购置电脑,但只是使用电脑进行文档编辑、文件打印等简单应用,也有高校按工作需要开发简单的教学管理软件。这种教学管理软件只能单机运行,功能较简单,主要是进行日常教学文件和学生成绩方面的管理,且由于软件的开发多数是基于 FoxPro 等基础数据库软件,造成了软件容错性差、兼容性不好,容易丢失数据和受计算机病毒的破坏,无法适应大量数据处理的需要。随着高校办学规模的不断扩大,这些教学管理软件已经成为教学管理的瓶颈。

（二）文件服务器式教学管理

在 20 世纪 90 年代中后期,计算机网络技术的发展非常迅猛,基于网络的操作系统越来越广泛地被使用。使得高校开始由单机式教学管理转向文件服务器式的教学管理,并进行了相应的信息化建设。教学管理各部门之间,通过集线器或交换机,将学校内多个计算机联网,组成一个内部的计算机网络,实现简单的数据交换和共享,对教学管理的信息资源共享起到了一定的作用。但由于网络规模过小,各部门仍是在使用单机的管理软件,只不过把部分数据放在文件服务器中进行共享,各取所用,文件的导入或导出需要转换至一定的数据格式,方能实现资源共享,无法建设流畅的教学管理信息系统。

(三)基于 C/S 结构的信息化教学管理

C/S 结构,即 Client/Server(客户机/服务器)结构,是大家熟知的软件系统体系结构,通过将任务合理分配到 Client 端和 Server 端,降低了系统的资源开销,可以充分利用两端硬件环境各自的优势。90 年代末期,随着计算机硬件的全面升级换代,以及互联网的普及,使得基于网络功能的软件开发得到了大力发展和日趋成熟。由于高校原来的文件服务器式的教学管理本来就不能满足高校的信息化管理需要,此时,多数高校开始进行基于 C/S 结构的教学管理信息化建设。C/S 结构的管理信息系统根据各部门的应用目的,加强了教学管理信息系统的功能建设,适应了各部门的使用需要,起到了数据交流、资源共享的作用。但由于 C/S 结构本身的定义,每一台加入管理的电脑都必须安装客户端软件,这对教学管理信息系统的广泛使用形成了障碍。

(四)基于 B/S 结构的信息化教学管理

B/S 结构,即 Browser/Server(浏览器/服务器)结构,是随着 Internet 技术的兴起而兴起的,它是 C/S 结构的一种扩展。由于在 C/S 结构的网络中,每一台新加入的电脑都必须安装客户端软件,才能访问到服务器上的数据,限制了系统的使用范围。因此,基于 B/S 网络架构的系统就应运而生了,在这种结构下,用户界面完全通过 WEB 浏览器实现,主要事务逻辑在服务器端实现。B/S 结构,主要是利用了不断成熟的 WEB 浏览器技术,结合浏览器的多种 Script 语言(VBScript、JavaScript)和 ActiveX 控件技术,用户通过浏览器就实现了原来需要复杂专用软件才能实现的强大功能,并节约了开发成本,是一种全新的软件系统构造技术。随着主流操作系统 Windows 都集成了浏览器软件,这种结构更成为当今应用软件的首选体系结构。B/S 最大的优点就是可以在任何地方进行操作而不用安装任何专门的软件,只要有一台能上网的电脑就能使用,客户端零维护,系统的扩展非常容易。B/S 结构通过校园网在教学管理信息系统中的应用就是充分利用互联网,只要能够访问校园网的电脑都可以通过浏览器访问教学管理信息系统。这样,扩大了教学管理信息系统的服务范围。不过,B/S 结构的应用系统,在数据查询的响应速度、安全性控制等方面都要远远低于 C/S 结构的应用系统。

四、高校教学管理信息化建设背景

(一)学分制教学管理改革的推行

1.学年制、学分制、学年学分制

学年制又称学年学时制,起源于 17 世纪兴起的班级授课制,是将学生编级分班进行具体教学的组织形式。其基本内涵是指课程按学年安排,学生按年级授课,以修满规定的学习时数和学年、考试合格为毕业标准。学年制的优点是有比较完整的教学计划,有利于达到规模效益,有利于传授系统的专业知识,有利于高等学校对学生的管理和培养,有利于开展思想教育和具体活动。但学年制没有考虑到学生的个体差异,忽视了学生学习的兴趣,不利于因材施教、培养创新型人才,也不利于学生构建合理的知识结构,不利于调动师生积极性。

学分制起源于选课制,是以学生取得学分数作为衡量其学业完成情况的基本依据,并据此进行有关管理工作的教学管理制度。一般原则为:学生修习任何课程成绩合格,即被认为已取得该课程规定的学分数,不同的课程的每1学分价值相等,所取得的不同的课程学分可以简单相加得出总学分数。学生取得规定的总学分数(包括公共课、专业必修课、专业选修课和公选课应达到的最低学分数),完成毕业论文(设计)、实习等规定学习和实践环节,准予毕业,一般不作修业年限的规定。学分制特征是自由选课制、目标管理制、导师制、弹性学制等,学分制以选课制为核心,使学生有更大的自主选择权;实行目标管理制有利于实现多样化人才培养的目标;实行导师制,以利于因材施教和培养专长;弹性学制使得高等教育的人才培养模式具有很大的灵活性。

学年学分制,是学年制向学分制过渡的中间产物。学年学分制规定学生毕业时须取得的最低学分总数及其中必修课学分数、限制性选修课的学分数;规定每学期所修学分数的上、下限;规定必须参加某些教学和实践性环节;同时也规定了一定的修业年限。目前,我国多数高校实行的是学年学分制,处于从学年制或学年学分制向完全学分制的过渡阶段。

2.学分制的特点

学分制与学年制以及学年学分制相比较有以下特点。

(1)学习时限具有相对灵活性

它参考学历教育所要求的年限,但不受年限的限制,学生可以提前修满学分,提前毕业;也可滞后一定时间推迟毕业。从经济学的角度看,有效地、因人而异地分配受教育时间,能降低产品的成本,提高教育的效率,这对个人和社会都是有利的。

(2)学习内容具有选择性

通过选课制赋予学生极大的自主权。它在一定程度上允许学生选择自己认为必要而且感兴趣的课程以形成自己的专业方向,这正是学分制的精髓所在。

(3)培养过程具有指导性

学分制为学生独立自由地安排学习、充分发挥学生的特长及主动性和创造性,创造了必要的条件。导师制为学分制选课提供了制度保障,学分制设立的导师,对学生进行指导,帮助学生解决和处理学习过程中遇到的问题。

(4)教师教学具有竞争性

通过选课制、选教制的建立,把竞争机制引入教学的师资管理当中。激励教师不断总结经验、更新教学内容、改进教学方法,不断提高自己的教育教学能力,使教师更好地服务于教育教学工作。

(5)学分制有利于创新教育的实施

创新能力培养作为新世纪人才培养要求,在学分制的条件下可得到充分的体现。通过学分制制定有关创新教育的规定,在保证各专业基本教学要求的基础上,把科学研究、技术创新活动和第二课堂活动引进培养方案和教学计划,学生可通过实践活动和成果的取得来获取创新学分,以增强学生的创新积极性,促进学生创新意识和创新能力的培养。

3. 学分制教学管理改革在我国高校的推行情况

1949 年以前我国高校是参照西方模式实行的学分制教学管理。中华人民共和国成立初期也就是 50 年代至 70 年代我国高校教学管理是全面移植了苏联的学年制。直 1978 年,学分制再次在我国崭露头角,出现了全国范围内实行学分制的第一次"高潮",但基本上都是学年制的学分化,即学年学分制,而不是真正意义的学分制。当时,教育部提出有条件的学校可以试行学分制。因此,南京大学、武汉大学、哈尔滨工程大学等少数重点大学率先开始实行学分制。我国实行学分制的第二次"高潮"出现于 1983 年。学分制由部分重点大学扩大到非重点大学,由综合性、多科性院校扩大到单科性院校等其他类别的高校。1985 年 5 月国务院颁布了《中共中央关于教育体制改革的决定》(以下简称《决定》)。《决定》明确指出要减少必修课,增加选修课,实行学分制和双学位制。此后高校中出现了实行学分制的第三次"高潮"。据不完全统计,到 1986 年为止,实行学分制的高校达到 200 余所,大多数重点院校实行了学分制。20 世纪 90 年代以来,为了适应社会主义市场经济体制和科学技术迅速发展对高校人才培养的新要求,高校中出现了实行学分制的第四次"高潮"。截至 1999 年底,全国近三分之一的高校已实行了学分制。目前,以学分制为主题的教学管理体制的深化改革正进一步推行,我国绝大多数高校都采用了学分制教学管理模式,以学年学分制为主。完全学分制已在一些有实力的大学试行和推广,部分院校还试行了按学分制收费。

国内外实行学分制的实践证明:学分制是符合当前我国人才培养目标需要的教学管理模式,它有利于创新人才的培养,有利于素质教育的全面开展。不过,学分制教学管理改革在我国高校的推行也使得高校教学管理的工作数量和难度都大大增加了,比如,以前教学管理人员只是按照制定好的教学计划来统一安排专业班级每个学期的课程,对于班级和学生的管理也相对简单;实行学分制教学管理改革后,学生不再按统一的课表上课,而是根据自己的兴趣和学习计划来合理选择适合自己的课程,同年级同专业的学生每个学期选择的课程可能都不一样,传统的专业班级概念逐渐被淡化,那么在这种情况下如何对学生的学习实施有效的引导和管理? 其中所增加的管理难度是不言而喻的。还有,学分制的推行,对于师资和教学资源的有效分配、利用和管理也提出了更高要求。面对这些新情况,高校教学管理只有借助于信息化手段才能更好地胜任学分制条件下新的教学管理需要。

(二)高校扩招、合并重组、多校区办学对高校教学管理的新挑战

从 1999 年开始,中国开始大幅度扩大高等教育招生规模,当年的招生人数确定为 159 万人,比 1998 年的 108 万增长了 48%。而在 1998 年之前,高等教育发展速度是平均年递增 9%。1999 年实行扩招以后,每年我国高等教育招生人数和在校生规模都持续增加,据教育部在 2008 年 5 月 6 日发布的上一年的教育发展统计公报显示,2007 年全国各类高等教育总规模超过 2 700 万人,高等教育毛入学率达到 23%,已跨入国际公认的高等教育大众化阶段。在 2009 年全国高等教育招生计划工作会议上,教育部党组副书记、副部长袁贵仁介绍,确定 2009 年全国普通高校本专科招生计划安排 629 万人,比 2008 年增长 4%,招生人数是

1998 年 108 万人的 5 倍多接近 6 倍。

现在,中国高等教育规模已先后超过俄罗斯、印度和美国,成为世界第一。经过短短数年的艰苦努力,在人均国内生产总值 1 000 多美元的条件下,中国高等教育发展实现了从精英教育到大众化,走完了其他国家需要三五十年甚至更长时间的道路。对于扩招,专家认为,一是宏观社会需求,二是解决经济困境,三是走出"应试教育"怪圈。扩招政策的决策过程看起来似乎很短促,出台很仓促,但是,与此紧密相关的诸多问题早已经是教育主管部门和政府决策部门综合研究的政策问题。这一政策的出台既不是空穴来风,也不是心血来潮。从近期看,它作为我国实施积极的财政政策的措施之一,成为政治经济全局战略中的一部分,是教育主动适应的直接体现;从深层次看,它与当前我国宏观背景有着密切的联系,是我国经济可持续发展的客观要求和跨世纪教育适应全球变革的必然反映。对于高校大规模扩招虽然也存在一些争议,这主要与扩大招生规模后的办学条件跟不上、教学质量下滑以及当前经济环境下大学生就业难有关。但是我们不可否认,扩招政策对于我国经济社会发展的巨大影响。不过,我们也应该清醒地意识到扩招所带来的负面影响,其中最核心的问题仍然是教学问题,这当然与教学管理有关,高校大规模扩招使得几乎所有大学的学生人数都急剧膨胀,而师资和教学资源却又相对严重短缺,这必然使得高校教学管理的任务、管理难度都大大增加,如何实施积极有效的管理?仅靠原来传统的教学管理方式和手段,已经远远不能满足大规模办校的教学管理需要了。

另外,为了满足高校扩招的需要,容纳更多的大学生接受高等教育,很多大学都新建了新校区;在高校新一轮的大学改革合并重组的过程中也有许多原来地理位置不同的几所大学合并重组成的新的大学,形成了众多同一所大学多校区办学的局面。多校区办学,作为我国高等教育发展中的一个必然选择,其积极意义是不言而喻的,就外部而言,由于土地面积、建筑面积等教学资源的增加,可容纳学生的数量随之增加,招生数量增加,办学规模扩大,促进了高等教育事业的发展,为更多的学生提供了学习机会,缓解了教育发展的压力;就学校内部而言,实现了学校的低成本扩张,增加了学校的教育资源。它也促进了教育改革和教育观念的更新,整合优化了教育资源,使得教育资源的使用效益得到明显提高。更重要的是,通过资源整合重组,行业、部门办学的界限正在被逐步打破,教育的主体越来越明晰,实现教育的有序管理正在逐步成为现实。它还促进了文化辐射和对地方经济进行拉动,高校是文化的集大成者,在长期办学中形成的浓厚的文化积淀和学术氛围,必然会影响或辐射到当地,产生"随风潜入夜,润物细无声"的效果,提升一个地方的文化层次。但是我们在肯定多校区办学积极意义的同时,也必须清楚地认识到其存在的问题,例如管理资源的分散和严重不足、管理难度的加大和管理成本的增加,使得学校领导和管理部门的精力被迫分散,管理人员"疲于奔命"。还有管理层的磨合问题,这个问题主要在多校合并(特别是"拉郎配"式合并)中存在,因为各种原因,形成"小团体",相互信任度低,沟通困难,决策难以形成,导致政令不畅,管理效能降低。可见,多校区办学开拓了新的教育发展空间,弥补了教育资源的不足,增加了高校的竞争优势,解决了一些矛盾,但是也带来了不少新的问题。如何使多校区办学的整体实力更好地得到凝聚?如何促进各校区寻求文化上的共同点和发展上的一致性?特别是如何很好地管理各个校区师资和为数众多的学生信息,协调和安排各个校区的教学资源、教学计划,使得教学活动能够正常有效地进行?对高校管理者,特别是教学工作管理者来说都是非常艰巨的任务。必须通过一定的管理策略和管理技术对原有的教学管理系统很好地进行规划重建,使之能更好地满足新时期高校多校区办学教学管理的需要,让各校区为社会提供一致的教育质量、人才培养质量。

(三)信息化对高校教学管理的积极影响

90年代中后期以来,计算机技术和互联网技术得到了飞速的发展和广泛的应用,信息技术手段也开始对高校教学管理产生越来越深远的影响。总结而言,信息化对高校教学管理有以下积极影响。

1.优化资源配置,减少资源浪费

教学管理工作是一项"多、细、杂、乱,重复性"的工作,特别是教学管理中与学生有关的数据(新生与毕业生信息、考生的成绩等)采集、处理工作。随着高校扩招和学生人数的增加,这一问题更为明显,要采集的有关数据量更多、更杂,如果采用传统方式仅由基层管理人员重复进行手工采集工作,将大大增加基层的重复性劳动,浪费了大量的人力、物力、财力和时间。而且这样采集来的数据的准确性、共享性都较差。利用信息系统和网络技术等信息化手段来进行数据收集,有关数据通过校园网按一定的数据标准收集到教学管理信息系统进行居中存储,并在网上实施发布、及时更新,其数据的准确性、共享性等都大大增强,所有部门都可以上网查询有关的数据和文件,改变了资源利用的方式,提高了使用效率。以学生管理为例,目前全国许多高校都实行了"一卡通"(IC卡)服务,所有学生在新生报到时就有一张IC卡(记录了这个学生相关的信息),这一张卡将陪伴他的整个大学生涯,每个学生在校期间都享用属于自己的唯一的号码(大多数情况下是学生的学号),凭借这张卡可以完成学籍注册、图书馆阅览、食堂用餐、医疗等活动,既方便又安全。学生到学校相关部门办理有关手续时,只要用这张卡就可以。利用专用软件处理相关数据信息,还能够大大提高工作效率和质量。以考试管理为例,网络题库的建设、考试质量测评(如平均分、标准差、难度、区分度、信度、标准误差)、学生考试分数的分布图表等都可以利用计算机相关软件进行处理。对合并后地理位置分散的多校区的校园来说,信息化管理可以变人员走动为信息流动,节省了教学管理工作人员的走动时间和交通费用,极大地节省了人力、物力和时间资源,提高了工作效率。

2.优化组织结构,增强组织活力

现行的高校组织结构以金字塔形为主,我国高等学校教学管理的组织结构也普遍采用这一模式。我国的教学管理组织一般由两条线组成:一条是由校(院)长——院长(系主任)——教研室(学科组),是对高等学校教学活动实行全面综合管理的垂直领导主线;另一条是主管教学副校(院)长——院(系)主管教学副主任——教研室主管教学副主任,是在实行分工主管制领导下的教学活动的实际管理线。主管教学的副校(院)长下还有教务处。这中间有较多的中间管理层队伍,组织结构分工过细,必然造成组织层次重叠,滋生官僚主义,降低工作效率。信息化条件下,高校教学管理的组织结构由金字塔形变为扁平形。由于校园网络的使用,决策层与操作层的信息可以通过网络直接传递,并且更快捷、方便。这样就可以取消一些中间层,从而加大管理幅度和力度,提高工作效率。同时扁平的组织结构由于给了操作层更大的自主权,还有利于调动基层管理人员的积极性和创新性,从而增强组织活力。

3. 加快信息流动,促进领导决策的科学化

金字塔形的组织结构要求信息的传达由上向下一级一级传送,信息的上报则是由下向上一级一级申报,这样信息的流动速度缓慢,信息反馈不及时甚至失真(特别是对地理位置上分散的多校区的教学管理而言),会导致高校管理层进行教学决策的时间滞后,信息的不全面或失真可能会导致教学决策的失误。信息化条件下,信息通过校园网络快速流动。决策层把做出的决策发布在网上,执行层可以迅速地从网上查询决策层所做出的决策并执行,同时把执行结果及时反馈到网上,决策层得到及时反馈的信息,便于创造性地开展工作,并且能及时调整所做出的决策以满足需要;信息化条件下决策层可以利用网络掌握更为全面的信息,来自教职工和学生的、其他高校教学管理部门与非教学管理部门的,甚至来自社会和家长的建议,这些信息有助于决策层做出科学的决策;另外,教学管理信息系统能够根据决策的需要对大量的基础数据进行各种分析、统计和处理,为决策层做出科学决策提供科学的依据。

4. 提高教学管理服务的公平性和公正性

以前我国高校传统的教学管理服务是整齐划一的单向服务。同时,由于金字塔形的组织结构,信息流动缓慢,并且具有封闭性,只有部分身在其位的人知道那些重要的信息,教学管理服务的公平性与公正性不高。在信息化条件下,学校的各种服务可以通过校园网络用电子数据的方式进行。所有的公共信息都发布在网上,每个人面对的信息都是一样的,教学管理服务能真正地实现制度化、程序化,只要是规定的服务,具备相关资格与条件,通过网络使用教学管理信息系统都能得到一视同仁的待遇;哪怕师生在校外,只要能上网就可以在管理信息系统中找到自己所需要的服务。同时这种服务是跨时空的服务,24 小时全天候,延长了服务的时间。师生还可以享受跨越部门限制的学校公共服务。

5. 促进教学管理工作的规范化

传统的高校教学管理是靠手工操作,所有数据由各院系的教学管理工作人员进行收集和上报,并且部分管理(如选课、成绩管理)工作由各院系自己完成,这一中间环节会因人情等各方面的原因引起执行各项管理工作时的尺度不一。如有的院系将该上报的数据不上报或者修改后再上报,容易造成管理上的漏洞,从而引起教学管理工作的不规范。信息化条件下,高校的教学管理实行基于网络的全校统一集中管理。全校的学生都通过网络选课,学生的所有课程的学习情况都通过网络录入到系统记录下来,各有关部门和人员可以及时掌握有关数据。对这些数的访问有规定的权限,只有有权限的工作人员在有根有据的情况下才能对数据进行修改,这样就可以避免随意删减、修改原始数据的情况,增强了教学管理工作的规范性,也为公正、公平、合理地执行教学管理服务提供了保证。

6. 增加了教师、学生参与教学管理的力度

"在当前不少高校教学管理活动中,教师是游离于教学质量管理之外的'旁观者'和'局外人',是被'评价'(毋宁说是'批判')的对象",教师只能接受,别无选择,更说不上教师参与教学管理了。然而"要搞好高等学校管理,必须依靠教师发挥能动作用,一切与学生的学习和生活有关的决策,还要注意听取学生的意见"。2001年8月,教育部在《关于加强高等学校本科教学工作提高教学质量若干意见》(教高〔2001〕4号文件)中就明确指出"健全和完善教学管理和学籍管理制度,要吸收学生参与教学管理和制度建设"。在信息化条件下,教师与学生参与教学管理的力度得到大大增加。网络成为教师和学生参与教学管理的重要手段。这是因为:一是教师与学生都具有较高知识水平,是信息技术的掌握者,有能力利用计算机技术与网络技术参与教学管理,"随着掌握信息和有能力分析信息的个体和组织的增加,发散型的或者'扁平型'的以及'网状'的决策模式将越来越普遍,而且会成为传统的垂直决策模式的主要替代模式。会有越来越多的人或组织在具备了信息分析能力后加入决策过程中来。"越来越多的高校要求教师和学生利用网络参与教学管理,如江西师范大学网上选课系统也是学生网上评教系统,学生只有在对授课教师进行评价后才能选课,学生的评价会作为学校对教师管理工作的重要参考。二是信息技术使得信息获取和传递变得更快捷、更方便,教师与学生坐在家里或在宿舍就有条件、能轻而易举地获得教学管理方面的信息,同时也能通过网络针对与自己相关的问题留言或发帖来参与管理。这些留言和帖子就成了教学管理决策部门广泛收集的对象,并用于为科学决策做参考。三是教学管理部门可以就与教师和学生有关的问题以专题的形式在网上组织论坛,教师和学生在参与讨论的同时也参与了管理。

7.促进了教学管理的经验交流

在没有互联网之前,各个高校(特别是不同国家的高校)之间由于地理位置距离的原因相互交流非常少,主要是因为那时进行交流的成本代价比较高。在信息化时代,高校之间的交流是越来越多,通过互联网就能收发信息、互通有无。高校的教学管理也将走向国际化,教学管理的国际化,主要是指各国之间课程设置和学科建设的相互借鉴、教学管理经验的交流、教学管理人事制度的参考和改革、教学资源的共享、教学管理人员的培训等。信息化为高校教学管理的交流提供了便利条件,不管你人在哪里,只要你在网上,你就可以与任何一个上网的人或机构取得联系。教学管理人员以前急需而又找不到的资料,现在只要上网进行轻松地点击就可广泛进行搜索、查找,还可以访问其他高校的网站,与他们的教学管理工作人员在线进行交流和讨论,学习他们的经验和优点。

第二节　高校教学管理信息化建设理论基础

一、高校教学管理信息化建设指导原则

高校教学管理信息化建设是一项十分复杂的系统工程,它涉及计算机技术、网络技术、管理技术等。传统教学管理方式的变化,相适应的机构与岗位的调整,无疑会引起某些阵痛和不适应。在信息化建设过程中应该注意以下几个原则问题:

(1)"一把手"原则,即领导重视并亲自参与,这是信息化建设成功的重要保证。

(2)先进性与适用性相结合的系统建设原则,要根据学校规模等实际情况,进行适当规模的信息化建设。

（3）教学管理的"规范化"原则，这是应用计算机进行信息化教学管理的基础。

（4）系统建设目的——消除教学管理过程中的瓶颈、提高教学管理效率。

（5）系统发挥作用的条件——对教学管理信息系统的充分利用。

（6）教学管理信息化建设的要求——严格的管理制度与良好的人员素质。

二、高校教学管理信息化建设的基本内容

高校教学管理信息化建设应该围绕高校教学管理的基本内容来进行，总体来说，信息化建设的基本内容包括硬件建设和软件建设两个方面。进行教学管理信息化建设无疑是为高校教学管理服务的，那么我们应该要首先弄清楚高校办学新形势下基于学分制的高校教学管理的基本内容，即我们的教学管理信息化建设应该涉及的管理目标对象。

（一）基于学分制的高校教学管理的基本内容

高等学校的教学管理是高等学校教学得以展开的重要保证，它涉及教学过程的各个方面，主要内容包括有教学工作的计划管理、教学过程中各个环节的管理、学生学习过程的管理、教学质量管理。首先，我们来看学分制条件下的教学运行模式流程，如图5-1所示。

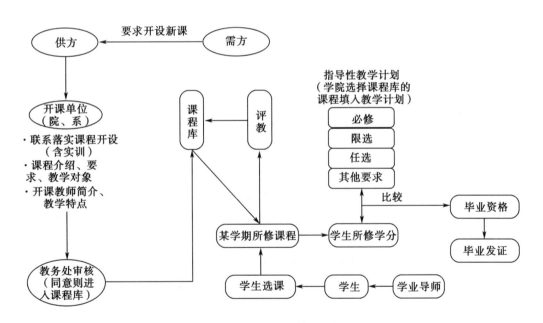

图 5-1 学分制条件下的教学运行模式流程

具体来看，基于学分制的高校教学管理的基本内容如图5-2所示。

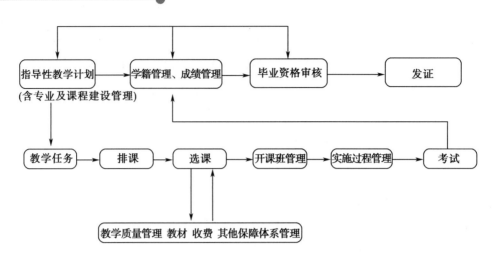

图 5-2　基于学分制的教学管理内容

这些学分制条件下的教学管理基本内容分别具有其相应的特点。

1. 指导性教学计划管理

指导性教学计划是学生在校学习的指南,它以专业为基础制定课程分类与设置,课程学分及管理,学时分配等。与学年制不同的是,学分制条件下的教学计划是具有一定弹性的,因此,指导性教学计划的设置要使高校在保证学生基本培养质量和形成学生所学专业特色的前提下,让学生有较多的选修余地,使学有余力的学生能够更好地发挥学习积极性和主动性,创造使其脱颖而出的条件。其课程设置一般包括必修课和选修课,必修课包括公共基础课和专业基础课及本专业的主干专业课,必修课的设置要形成一个专业基础平台,使学生可以站在此平台上,根据自己的学习兴趣和学习计划安排来选修学习不同的课程,从而形成自己的专业方向和特长。选修课又分为限选课和任选课,限选课旨在形成学生的专业方向,任选课旨在培养学生发散思维和提高学生的综合素质。

指导性教学计划还应该附带有课程教学大纲,把它作为导师指导学生选课的依据。教学大纲的制定能够便于学生了解各门课程的授课时数、学分、课程内容及选修该课程的条件等,保证学生能清楚明了地选课。全校开设的所有课程均应在教学大纲中有课程简介,课程简介应包括:课程名称、课程编码、课时学分、该课程的辅修课程、课程内容介绍、使用教材、选课对象等。课程简介通常应印制成册或录入教学管理信息系统供学生在线查阅。

2. 教学过程管理

教学过程管理的重点在于组织好学分制条件下的学校排课和学生选课工作。学校每学期的课程安排应该根据指导性教学计划和师资、教学资源情况进行合理排课。排好课程以后,就可以组织学生选课。学分制的课表与学年制的课表有明显不同:学年制是以班级为单位编排课表,全班学生就是同一张课表,一旦编制完毕,同班级学生的上课时间和地点也随之确定;而学分制是学生自己根据学校每学期所开设课程的目录,根据自身情况选择适合自己的课程从而形成自己唯一的课表。同一专业班级的学生上课时间和地点不一定相同。因此,除了每位任课教师必须要有其所开课程的课表,学生每人也要人手一张课表或可从网上查询自己的课表。为保证所有学生能顺利进行选课,学校应印发选课指南(或指导性教学计划等),指南中应包括选课原则、选课办法、选课程序、时间安排、选课单等。教务管理部门向学生提供下一学年的(两个学期)的所有选修课程和任课老师情况,学生在导师的指导下选课、反馈到教学管理部门,有些情况下可能需要进行第二轮甚至更多轮的选课,最后经筛选、平衡后确定每个学生两学期的所有选修课程。

3. 考试管理

考试是检查和考核师生教与学效果的重要手段。在学分制条件下,教学过程相对宽松、灵活、自由、分散,不管学生采取什么样的学习方式,只要达到某课程所规定的最低要求即可,为此学校要严格考核制度,检验教学和人才培养效果。考试管理的核心在于严格考试制度,建立试题库。同时选修课的开设,学生补考或重修出现了一些新情况,考什么和怎么考,也是考试管理应当考虑的新问题。

4. 学生管理(含学籍管理)

在学分制下对于学生的管理可实行"双班管理"——专业班级与教学班级相结合的管理。专业班级是指按照学生录取时所填报的志愿而确定的班级,即学生的入学班级;教学班级是指学生经过选课后,按实际开课所组成了临时性班级。该管理模式实行辅导员制和导师制的双重管理,使学生一入学就有机会得到高水平教师的指导。学分制下弹性学制的实行,也给学生的学籍管理带来更多问题。实行学分制后,多数学校取消了补考制度,考核不及格的必修课要重修,选修课程可重修或改选,重修或改选需按学分计费标准收费,一门课程重修次数一般不超过两次。取消了留级制度,达不到要求者,劝其退学。同样,已具备课程技能知识的学生也可申请免修相关课程。要处理各种不同的情况,对于学籍管理工作来说,工作量和难度不小。因此做好学分制下的学籍管理是一项非常重要的内容。

5. 教师管理

在对教师的管理中,不仅要组织好教师的排课、开课、考试、录成绩等工作,还应该组织和管理好导师的工作,因为导师制是实行学分制的重要保证。导师制的基本内涵包括导师任职资格的确定,导师的工作内容和职责等。导师在学校教学与学生求学之间起到桥梁作用,肩负着依据培养目标和教学计划,结合教学规律指导学生进行学习的职责。导师应向学生提供人才培养目标、基本规格和专业知识结构等方面问题的耐心咨询;按指导性教学计划的要求及学生的实际情况,指导学生选择专业方向和课程学习;协助学生安排好适合自己特点和志向的学习计划,使学生在学校期间能够获得和形成自己的完整的知识体系。

6. 教学质量管理

学分制应更注重目标管理,在灵活的过程管理下,要达到高质量标准,必须实行切实的目标控制,建立严密的质量评价监控体系。如教师上课资格认定,课堂教学评价,学生学习信息的收集、反馈,建立严格的课程考试制度和教学评价制度等。一些高校实践证明,如果质量监控系统不完善、不适合,实行学分制采用灵活、动态的教学管理后,教学质量反而会有一定程度的下滑。

7. 教材管理与实训管理

学分制的实施给教材管理和实训管理也带来了很大的冲击。选修课程人数的不确定性,使得教材的征订和管理工作增加了难度,管理不好很容易形成教材资源浪费,相反学生不能及时拿到教材的话也会影响学生的学习。学分制下各个学生的实训时间安排很可能不同,要求实训全天候开放,也给传统的实训管理带来的新的挑战。因此,做好学分制下的教材管理和实训管理,是保障教学质量的重要环节之一。

8.毕业生管理

学分制的实行,使得学生的毕业时间不再有严格的年限限制,毕业所要求完成的课程学习内容和数量也不再相同,每个学生只要根据学校的教学培训计划,结合自身学习能力,做出合理的课程学习选择和安排,达到规定的毕业学分数(含最低总学分数、必修课、限选课和任选课各自必须达到的最低学分数)就可申请提前或延后毕业。针对不同学生完成学习的情况进行毕业生管理,与学年制下的毕业生管理是很不相同的,教学管理人员应该认真做好毕业资格审查和毕业手续办理等工作。

随着计算机技术和网络技术的发展,基于网络的信息化教学管理已成为完成基于学分制的高校教学管理内容和任务的关键部分。依据上面讨论到的基于学分制的高校教学管理内容,教学管理信息系统应当管理到的内容包括有:学生管理(含学籍管理模块)、师资管理、教学计划管理、智能排课、考试管理、选课管理、成绩管理、实践管理、教学质量评价、毕业生管理等。充分利用现代网络技术等信息技术手段,实现信息化的教学管理和信息资源共享,将给基于学分制的高校教学管理带来极大的时间、经济和综合效益。

(二)高校教学管理信息化的硬件建设部分

围绕以上介绍的基于学分制的高校教学管理的内容和特点,要有效地进行信息化的教学管理,必须首先进行基于校园网的硬件环境建设。其中主要包括:进行校园网络规划(有可能是要构建多校区之间的统一校园网),铺设光纤、架构交换机以构建校园骨干网络,对每栋大楼进行综合布线工作,使校园网络触及每个需要应用它的具体房间;选购服务器、存储设备构建数据中心;PC机等办公设备的选购和布置;机房的供电安全、环境安全、设备安全问题地考虑和进行相应的建设;等等。

硬件建设部分是高校整个信息化建设的基础,如果没有很好地进行规划和建设将对日后的教学管理信息化建设和应用构成瓶颈问题。我们可以试想,建设了一个功能很完善的教学管理信息系统,但是校园网络访问速度很慢、经常瘫痪,数据中心的服务器经常被停电、死机,或者由于对数据存储安全考虑不足导致数据丢失,这些情况将对我们的教学管理信息化造成怎样的影响?而且恐怕这还不是仅仅影响到教学管理的问题,整个学校的信息化管理工作都会因此受到影响。因则,高校教学管理信息化的硬件建设部分的重要性不言而喻。

(三)高校教学管理信息化的软件建设部分

然而,光有硬件环境的建设是远远不够的,关键还要很好地进行软件部分的建设。"硬件是躯体,软件是灵魂"。其中最重要的也是最主要的内容就是进行教学管理信息系统的设计和开发,这个系统基于学分制的高校教学管理的各项基本内容,即学生管理(含学籍管理模块)、师资管理、教学计划管理、智能排课、考试管理、选课管理、成绩管理、实践管理、教学质量评价、毕业生管理等模块,不同的高校可能会根据其具体情况对系统的功能模块有所增减。此外,还有服务器端操作系统的选型、安装和数据库的建设,这也是高校教学管理信息化建设的基础工作。通过防火墙及防病毒软件的设置来很好地保护系统安全也是需要认真考虑的问题。

三、高校教学管理信息化建设的一般步骤

高校教学管理信息化建设,广义上是指信息系统的硬件和软件建设,狭义上是指计算机教学管理信息系统的开发、实施及维护。因此教学管理信息化建设除了做好校园网络等硬件环境的建设,关键就是要进行教学管理信息系统的开发工作。结构化系统开发方法(Structured System Development Methodologies),是自顶向下的结构化方法、工程化的系统开发方法和生命周期方法的结合,它是迄今为止开发方法中应用最普遍、最成熟的一种。因此在教学管理信息化建设的过程中也宜采用这种方法。用结构化系统开发方法开发一个系统,整个开发过程会有 5 个首尾相连的阶段,一般称之为系统开发的生命周期(Life Cycle),系统开发生命周期及各阶段主要工作有如下。

(一) 系统规划阶段

系统规划阶段是根据用户的系统开发请求,进行初步调查,明确问题,确定系统目标和总体结构,确定分阶段实施进度,然后进行可行性研究,写出可行性分析报告。

(二) 系统分析阶段

系统分析是开发工作的第一个阶段,它以系统规划中提出的目标为出发点,对系统进行详细的调查和系统化的分析,建立系统的逻辑模型,主要任务是:管理业务流程和数据流程的调查,在此基础上写出"系统分析报告",这是系统分析阶段的重要文档,也是下一开发阶段的工作基础。

(三) 系统设计阶段

系统设计阶段是在系统分析提出的逻辑模型的基础上设计系统的物理模型,主要任务是:总体结构设计;详细设计,包括代码设计、数据库/文件设计、输入输出设计、模块结构设计与功能设计;编写程序设计说明书。系统设计阶段的成果是"系统设计说明书"。

(四) 系统实施阶段

系统实施阶段的任务是:程序设计及调试、人员培训、数据准备、系统转换,然后投入试运行。这一阶段的成果除了最终实现管理信息系统外,还包括有关的技术文档,如程序说明书、使用说明书等。

(五) 系统运行与维护阶段

系统运行阶段是在前面各阶段的基础上正式开始系统的运行,主要进行系统的日常运行管理、系统维护和系统评价三方面工作。该阶段要对运行结果进行分析,如果运行结果良好,则送管理部门,指导生产经营活动;如果有点问题,则要对系统进行修改、维护或者进行局部调整;如果出现了不可调和的大问题(这种情况一般是系统运行若干年之后,系统运

行环境已经发生了根本的变化时才可能出现），则用户将会进一步提出开发新系统的要求，这标志着老系统生命的结束，新系统的诞生。

这个过程就是系统开发生命周期。在每一阶段均有小循环，在不满足要求时，修改或返回到起点。在教学管理信息化建设过程中应该严格按照结构化系统开发方法，仔细做好系统开发生命周期过程每个阶段的工作，最后才能开发出令人满意的教学管理信息系统，在校园网的基础上对高校教学很好地进行信息化管理和应用。

第三节　高校教学管理信息化建设存在的问题

现阶段虽然我国一少部分"985""211"类高校的教学管理信息化建设取得了较好的实施效果，教学管理信息化程度较高。但大多数高校在推进教学管理信息化的进程中，仍然存在许多落后的教学管理信息化理念，没有充分理解信息化的内涵，制约了教学管理信息化建设的进一步发展。还有不少高校对自身的教学管理流程和基本校情缺乏足够的梳理和总结，在教学管理信息系统的研发或购置过程中又缺乏充分的调研，导致教学管理信息系统的建设项目匆忙上马，往往造成教学管理信息系统与本校的实际情况不相符；又或者在教学管理信息化实施过程中缺乏统一的规划与管理，相关规章制度的制定还不是很完善，对教学管理人员的业务培训也不到位，导致教学管理信息系统缺乏更有针对性地应用，无法发挥信息系统应有的作用。教学管理人员还是要花费相当的精力用于处理依然繁重的事务性工作，而对于教学过程的宏观监管和教学效果的深入研究则显得力不从心，教学管理层次仍然有待进一步提高。

结合先进高校建设情况及应有成效的论述，加上对已有研究成果的总结，笔者认为，教学管理信息化建设存在着以下几方面问题。

一、教学管理信息化理解有偏差

高校教学管理信息化是指充分利用信息技术及现代教育管理的思想、方法和手段进行教学管理，从而提高教学管理质量和效率，最终实现教学管理现代化的过程。发展建设高校教学管理信息化，要求我们必须正确认识教学管理信息化的内涵，在教学管理信息化具体实施过程中首当其冲就是要树立现代化、科学化、信息化的教学管理理念。

当前我国许多高校对教学管理信息化内涵的理解有偏差，比较简单和片面。他们对教学管理信息化的认识仍然只停留在教学管理信息化实施的技术层面，片面地将教学管理技术手段的更新直接等同视为教学管理信息化，忽视了现代化、科学化的教学管理理念对教学管理信息化建设所起到的引领作用。教学管理信息系统硬件、软件平台的开发建设固然是教学管理信息化具体实施过程中一项重要的基础性工作，但许多高校在没有厘清"为什么搞信息化""怎么搞信息化"这些全局性的问题的前提下，就进行教学管理信息系统软硬件平台的开发建设。学校决策层缺乏以现代化、信息化的理念对学校的教学管理流程进行梳理、思考和再造，不重视学校层面的信息化组织结构和管理制度的建设与完善，也没有成立专门的教学管理信息化领导小组,缺乏对教学管理信息化建设进行长期规划和统一指导;而一线的教学管理人员对信息化的教学管理理念缺乏充分地学习和领会,在教学管理工作中仍然故步自封于传统的管理观念、理论和方法。所有这些都使得教学管理信息化的具体实施不能顺水推舟,以致在后期实施过程中经常走弯路。

二、教学管理信息化建设物质条件保障不力

教学管理信息化的实施基础是教学管理信息系统和教学信息资源的建设,这些信息系统的运行需要完善的硬件、软件平台作为支撑,要配置研发这些平台,相关学校需要投入大量的财力、人力和物力作为教学管理信息化建设的物质保障。

当前我国许多高校为应对招生规模连续多年的大量扩张,在学生宿舍、教学楼和食堂等相关配套基本建设项目上投入了学校相当大的资金,挤占了学校大量本已非常宝贵的财力和物力,使得学校进行教学管理信息化建设所需资金显得更加有限,甚至可以说是捉襟见肘,导致许多高校在教学管理信息化实施过程中,虽然有好的思路想法和建设规划,却苦于缺乏物质条件的保障,导致教学管理信息化建设需求难以付诸实施,很长时间只能停留在非常低的启动层面,致使教学管理信息化的建设进程极为缓慢。

另外一方面许多高校虽然也划拨了教学管理信息化建设专项资金,但在进行教学管理信息化建设中缺乏对资金分配做合理的统筹考虑,在资金的分配上搞一刀切,平均分配,没有突出关键节点和重点领域。想面面俱到全都考虑到位,但资金总量却又十分有限,使得对教学管理信息系统运行有重要影响的核心子系统的投入一般,没有做到将宝贵的资金用在刀刃上,致使影响系统运行的关键技术要素的指标低下,整个系统的高效率运行根本无法得到保障。可见在当前我国高校进行教学管理信息建设中,物质条件保障不力也是一个不容忽视的问题。

三、教学管理信息化建设的广泛参与度不够

教学管理信息化建设是关系到高校整体教学管理和教学服务的全局性工作,影响面巨大,牵涉到高校教学管理工作的方方面面。为了保证教学管理信息化建设在高校的顺利实施,我们需要有科学合理的建设规划,需要有充足的财力、物力等物质基础作为保障,也需要有先进的教学管理信息系统软硬件平台作为技术解决方案,更需要依靠高校各相关职能部门和广大教职员工的广泛参与。

当前我国许多高校在教学管理信息化建设过程中,相关职能部门之间职责和分工不明确,相互之间缺少高效的配合和协调,二级院系对学校教学管理信息化建设的积极性不高,对相关工作的贯彻力度不够,使得此项工作在不同职能部门之间、二级学院的进一步推进存在阻力。

另一方面虽然有些高校已经完成了教学管理信息系统软硬件平台的研发购置,但在学校进一步推广应用过程中,先进的技术解决方案却没有达到预见的使用效果,教学管理信息系统往往变成了只在高校少数教学管理部门使用的内部系统。由于许多高校在向广大教职员工推广教学管理信息系统时,缺乏大张旗鼓的正面宣传、便捷的使用引导和积极的

鼓励政策,而大多采用类似行政命令的方式进行,这种方式没有体现"以人为本"的管理思想,显得比较生硬,致使教职员工往往对教学管理信息系统的使用兴趣和动力不够。甚至有部分教职员工由于对教学管理信息化建设实施的意义和给自身将带来的便利不了解,存在"多一事,不如少一事"的态度,对教学管理信息系统的使用存在抵触情绪,致使在教学管理信息化推进过程中教职员工的广泛参与大打折扣,系统的应用推广停滞不前,因此现阶段我国高校教学管理信息化建设的广泛参与度有待进一步提高。

四、教学管理信息系统运行效果差强人意

教学管理信息化建设的先进理念、功能规划和目标定位最终都要在教学管理信息系统的研发过程和运行效果上得到最直观的落实和展现,因此教学管理信息系统的运行状态对教学管理信息化建设成效的影响是最直接的,对教职员工感受教学管理信息化建设成果的影响也是最深刻的。

当前我国一部分高校在创建教学管理信息系统时,没有厘清教学管理信息系统的应用是为了实现教学管理目标而采取的必要手段,将两者的关系本末倒置,导致了在建立教学管理信息系统时为研发而研发、盲目投入、一哄而上,某些高校甚至将教学管理信息系统的研发搞成了学校教学管理面上的形象工程和中看不中用的花架子。

另一部分高校在创建教学管理信息系统前期没有做好充分的调研,也没有摸透学校的实际校情,对学校的教学管理方式和管理流程没有进行科学总结和梳理,更缺少以发展的眼光来适当预见学校下一阶段的发展趋势,致使在创建本校教学管理信息系统时心中没谱,表现在对外购的教学管理信息系统不能做出科学合理的分析对比,或对自行开发的教学管理信息系统不能给出充分的论证,无法确保教学管理信息系统在整体上适应学校自身的管理体系。

还有一部分高校在教学管理信息化建设中,只重视教学管理信息系统的创建,却忽视了配套规章制度的制定和教职员工参与信息化建设能力的提升。前者导致信息系统在投入运行后存在随意和盲目使用的不规范现象,在一定程度上使教学管理信息系统相关运行数据的真实性和有效性受到了损坏,违背了信息化建设所追求的科学、规范、真实的初衷。后者导致教职员工由于信息素养和信息技术应用能力的欠缺,一方面造成了教职员工在日常教学管理工作中难以养成自觉使用教学管理信息系统的习惯;另一方面则是教职员工运用信息技术手段的能力较弱,难以熟练、正确掌握教学管理信息系统的使用。所有这些都导致了教学管理信息系统的运行效果往往差强人意,教职员工对教学管理信息系统的使用满意度也不高。

五、教学管理信息化建设偏重管理,轻服务

由于当前我国大多数高校的办学规模都比较庞大,导致了教学管理人员的劳动强度和工作压力急剧增加,因此大多数高校在进行教学管理信息化建设时往往首先看重的是如何才能通过教学管理信息系统最大限度地完成各项管理工作,实现管理职能,减轻教学管理人员的工作压力。

站在教学管理者自身的角度去看待这个初衷本身并没有多大问题,但如果仅仅将实现管理功能作为教学管理信息化建设的主要目标,而忽略教学管理信息化建设的服务功能,那么教学管理信息化建设成果的受益面就会变得很狭窄,往往受益方主要集中于学校的教学管理人员,而广大的教师和学生群体从教学管理信息化建设成果中得到的受益却不是很明显,导致学校教学管理信息化建设的整体层次相对低下。

教学管理信息系统设计的功能过多地考虑如何解决管理问题,就教师而言,使用教学管理信息系统除了可以完成网上调、停(补)课申请、个人教学任务和课表查询、学生选课名单下载、学生成绩提交等常规工作之外,利用教学管理信息系统与学生进行活跃的互动交流,与同行进行教学心得和学术问题的开放式探讨以及教学资源的相互共享等却很少涉及;就学生而言,教学管理信息系统除了提供网上选课、网上报名、培养计划查询、课表查询、成绩查询、网上评教等与管理工作紧密联系的相关功能外,便于学生自我掌控学业状态和学业进程的实时获知服务、学生办理学业事务的在线预约服务、学业成绩和学业证明的自助打印服务等为学生提供人性化便利服务的功能在现有的教学管理信息系统中也很少能够体现。因此当前我国高校教学管理信息化建设偏重管理,轻服务的现象还有待大力改进。

第四节 高校教学管理信息化建设优化对策

一、创造良好的信息化条件下的高校教学管理环境

(一)强调"一把手"原则,引起领导重视并亲自参与

教学管理信息化建设是一项系统而复杂的工程,只有在学校领导深入理解教学管理信息化重要性的基础上,由"一把手"亲自主持、参与系统实施,动员学校全体相关人员共同参与教学管理信息化建设,才能克服困难,取得成功。"一把手"原则不只是第一把手挂名,只依靠计算机应用人员来推动系统实施,而是要求学校的"一把手"实实在在地投入到系统实施过程中,主持工程项目例会,组织协调各院系、部门、各系统之间的关系,解决系统实施中出现的重大问题,把教学管理的信息化建设作为学校的主要工作之一,并授予主管部门考核权,确保系统正常有序地实施。"一把手"要下决心实施教学管理信息化建设,勇于承担责任,要力争做到:(1)学校各级领导能理解教学管理信息化建设,对教学管理信息化建设有明确的目标和统一的认识。高校在实施教学管理信息化建设之前,应清楚地意识到即将应用的教学管理信息系统将会对自己原有的管理思想与管理模式产生冲击。因此,管理信息系统的应用是高校的一次教学管理革命,没有最高决策层的领导与推动,这场革命就很难真正取得成功。(2)学校的领导班子要富有改革进取、开拓创新精神,能团结一致对管理信息系统项目承担责任。高校教职员工对于新系统的接受需要一个心理认同和操作熟练的过程。如果新系统的实施大大地加重他们的工作,就会导致强烈的抵触情绪产生,实施过程中遇到的问题也会被放大。而在管理信息系统实施过程中,初始阶段工作量加大几乎

成了一个无法回避的问题。另外,新的管理方式对于人员素质提出了更高的要求,引起部分人员的岗位危机。新的管理方式还会触犯一部分人的既得利益。在这种情况下,如果高校领导没有表示出坚定不移的态度,这些人就会采用诋毁的方式使项目进行不下去。这也许是许多人呼吁要将教学管理信息化建设搞成"一把手"工程的原因之一。

"一把手"不是大包大揽,而要有责任分工。应该注重和坚持"一把手"领导下的分工负责制,按照学校制订的教学管理信息化建设发展战略和年度工作计划,充分发挥副职领导和相关部门的主动性、创造性和积极性,大家各司其职、努力工作,遇有重大问题再请示"一把手"或校委会研究解决。这种工作方式合乎客观规律,效果也会更好些。更重要的是,工作中要加强管理,要靠管理机制和规章制度从根本上确保各项工作顺利完成,同时要加大规章制度的执行力度,也就是说要通过法治,而不是人治来抓好高校教学管理信息化建设的各项工作。事实上,要完成好"一把手"工程靠的就是一种机制和一种方法。

现任"一把手"和继任"一把手"工作要保持连续性。高校教学管理信息化建设往往需要几年的时间,而且日后还需根据实际情况不断改进,系统建设有时会在领导成员交接时进行。因此,前任和继任最高领导之间的工作交接要保持连续性。还应当把"一把手"原则的一把手理解为学校的高层领导班子,而不只是一两个人。就是说"一把手"原则是一个广义的概念,不仅高校最高领导要亲自参与主持,还应包括学校整个决策层的参与。这样就不会因为个别领导的更换而使整个信息化建设的进程受到影响。

(二)保证充足的财政投入

"巧妇难为无米之炊",没有投入根本就不可能办学校,而没有充足的投入亦办不成高水平的学校。办学经费在某种意义上是办学水平的保证。虽然最好的大学不一定是经费最多的大学,但最好的大学一定有相应的资源与之相匹配。目前我国高校的教育的经费来源比较单一,主要由政府拨款。而由于我国还是发展中国家,财政收入有限并且对教育的经费投入严重不足,因此高校的办学经费非常缺乏。与国外的高校相比,只占国外一流大学极小一部分。"世界一流大学的办学经费是我国名牌大学的十几倍甚至几十倍。其中麻省理工学院的办学经费是我国36所委属高校的6倍。"

众所周知,高校教学管理信息化建设是需要大量经费投入的,在高校办学经费有限的情况下,如何保证对信息化建设充足的财政投入?也是值得认真考虑的问题。高校应该在充分考虑到信息化建设投入产出效益的基础上,综合权衡、顾全大局,做到开源节流,拓宽办学经费来源,多方筹集资金。总之,要群策群力、重点保证信息化建设的充足的财政投入。否则,高校教学管理信息化建设无法顺利进行下去。

(三)引进专业人才,增强技术力量

信息化建设是一项复杂的系统工程,软硬件建设都需要有很强的技术力量,系统初步建成后,其运行维护、功能改进升级也都还需要相关专业技术人员才能很好地去完成。然而,在前文对高校教学管理信息化建设现状的调查中,笔者了解到高校在这两方面的人才都是比较欠缺的,人手不够,而且特别缺乏高级专业人才。这一方面可能是因为高校对信息化建设财政投入有限、提供的待遇偏低吸引不了高级专业人才;一方面也可能是因为高

校本身在引进人才方面的制度限制,比如对于学历的限制,现在大部分本科院校进人都动辄要求博士。然而高级人才并不一定就是高学历人员,特别是在信息化建设上更加需要看重的是动手能力和实践经验。因此,针对这种情况,高校应该打破传统思维,不拘一格引进真正有技术、有能力的专业人才,以补充信息化建设的技术力量。要真正吸引住这些人才,高校也应该增加在这方面的财政投入、为相应岗位提供优厚条件,打破高校传统的按职称评待遇的传统。

此外,还应该让技术人员经常去参加培训学习,不断提高他们的技能水平,从而能更好地为高校教学管理信息化建设服务。还应该要加强与专业信息技术公司的技术交流,有必要的时候引进他们的技术。和其他高校信息化建设技术力量的交流也可以相互借鉴经验、取长补短,提高技术水平。

(四)提高用户参与程度

教学管理信息化建设的最终目的是为高校教学管理人员、教师和学生服务,要达到理想的建设效果,就必须在建设过程中有用户的全程参与,分析用户需求来规划和设计系统;系统初步开发出来后要根据用户试用情况进行相应改进;系统正式投入使用后,也需要在运行、维护工作中不断根据用户反馈意见维护系统,改进、完善系统功能。

高校应该加强对教学管理信息化建设重要性的宣传,引起全校人员对信息化建设的重视,使他们乐意积极主动提出各种意见和建议,并不断征求他们反映的情况,在信息化建设的过程中综合进行考虑。

(五)加强信息化基础条件建设

信息化的教学管理必须是基于校园网网络平台的,因此首先要加强校园网的建设。需要注意的几点是:

一是要加强现有网络的优化升级,对于影响网络速度的瓶颈问题必须加以解决。

二是要加强与电信运营商的沟通,进一步协调、解决好跨网访问带来的问题。

三是要增加和加强网络管理队伍的技术力量,"三分技术,七分管理",管理好网络是校园网络能否发挥好作用的关键。由于网络是一个开放的世界,存在各种潜在的威胁,网络建好后因为管理不到位而导致网络应用能力下降的事例比比皆是。所以学校一定要增加网络管理的技术力量,特别是技术精湛的高级人才来负责整个网络管理团队,带领他们管理维护好整个校园网络,保障网络访问、数据传输的畅通、快捷。

四是要定时安排现有网络管理人员的分批学习培训,提升他们的技能水平,更好地为管理好校园网络服务。

其次,应该对全校的信息资源进行统一规划、建设,建立全校的数据中心,这已经是目前高校信息化的发展趋势。数据中心的建设不仅能够优化资源配置,也便于对资源的统一管理和维护。

最后,关于软件方面的建设即教学管理信息系统的进一步改进和完善功能,如前文所述,应该要加强与高校管理人员以及教师、学生也就是最终用户的沟通;整合学校的软件研发技术力量,组建更加强大的技术开发团队,增加相关院系和部门的合作;量力而行,采取

"自主开发"与"技术引进"相结合的方式,学校自己力量能做到的自己做,不能做到的也不排斥引进外来专业软件公司的技术力量。总之,要通过多种方式和手段使软件的功能更完善,运行更稳定可靠,更智能化,更有决策支持能力。

(六)注意数据安全和灾备问题

很显然,高校教学管理越来越依赖信息化技术,信息化是高校提高教学管理水平、工作效率和教学质量的有力手段。然而我们在生活中却时常会发现,信息化在给人们带来社会进步和生活方便的同时,自身也存在着相当高度的风险。各项业务的核心载体——数据,时刻处在我们或意识到或意识不到的各类风险的威胁下,其强壮性和抗击风险的能力直接决定了单位或企业甚至于行业的生存能力,也成为其服务水准的基本保障。计算机病毒、黑客、误操作、软硬件故障,还有如5.12汶川地震等的各种自然灾害,都无时无刻不在影响着我们的数据安全。一旦信息化管理系统因任何一种原因发生故障,造成基础数据的丢失,将会产生灾难性的后果,对我们的工作和生活造成空前的影响。因此信息化建设在高校越深入,数据安全问题就越应该得到重视。这就要求高校在应用IT(信息技术)进行管理信息化建设的过程中必须加强IT灾备建设。

"对于计算机信息系统来说,灾难指的是任何因不可预测的原因而导致系统非正常停机的事件,其中既包括自然灾害(如地震、台风、海啸、水灾、火灾等)、战争灾害,又包括其他原因引起的基础设施的损害(如服务器损害、存储设备损害、建筑物倒塌、电源中断等)以及误操作(包括人为蓄意破坏等)。"可见,可造成数据丢失与系统崩溃的灾难因素是多元化的。备份是对数据或系统进行的一份或多份的拷贝,当数据或系统崩溃时,备份可以用来恢复数据或系统。要想数据不丢失,或一旦丢失能够得到尽快恢复,就需要在原有数据中心的基础上再建一个灾备中心。灾备是通过在异地建立与维护一个或多个灾备中心,利用地理位置上的分离来保证数据与系统对灾难事件的抵御能力。备份是灾备的基础,灾备是可以防止多种灾难的备份。

造成目前国内大多数高校还没有充分重视IT灾备问题这种状况主要是源于两个方面的因素:一方面是众多高校管理人员对于进行数据灾难备份的重要性意识不够,认为平常没出什么事情就永远都不会有大问题;另一方面是由于多数高校办学经费紧张,无力承担昂贵的灾备建设费用。目前我国大多数高校的办学经费来源渠道有限,即便是高校领导和管理人员能想到,恐怕也是心有余而力不足。

针对高校目前灾备建设的这种现状,我们应该从以下两个大的方面来加强高校的IT灾备建设。

1.加强宣传,提高高校灾备意识

为了让高校提高灾备意识,认识到IT灾备在信息化时代对高校管理工作的重要性,做到在高校管理信息化建设过程中加强灾备、防患于未然,就必须首先要加强宣传。虽然国内在经过5.12汶川地震这次大的自然灾害后,国民的灾备意识有了明显的提高,一些高校也逐渐在开始实际考虑灾备建设的问题。但是还很不够,包括高校在内的很多单位都还或多或少在观念上存在保守,更多的高校管理人员对于IT灾备,恐怕都还是处在一个模糊意识的阶段,学校该怎么整体去做IT灾备建设更是没有考虑过或是考虑不清楚。

针对这种状况,首先国家应该从政策层面上多做宣传、引导,利用教育工作会等会议,向高校领导和管理人员宣传 IT 灾备的重要性。同样也应该强调前面提到的在信息化建设过程中注意强调"一把手"原则,只有让高校的"一把手"领导能够首先对 IT 灾备问题重视起来,亲自过问、参与,才有可能在高校管理信息化建设过程中把 IT 灾备工作开展好。相应地,作为研究灾备技术的专家和业界,在进一步加深优化对 IT 灾备技术研究的同时,也应该通过各种渠道扩大自己的宣传、影响力,如撰写、发表学术论文,开展技术交流会进行公关等。提高潜在用户的灾备意识和让他们获得更多关于灾备的知识。

2. 选择经济有效的途径,切实加强和提高高校 IT 灾备建设

"然而灾备又是为小概率高风险事件准备的,它具有高投入、低效益的特点。因此建立灾备中心必须考虑经济学因素与当前技术问题。"怎样选择经济有效途径来进行 IT 灾备建设呢?数据的灾难备份主要是通过网络存储技术来实现的。即建立数据中心、通过网络实现数据的集中存储和管理,通过软硬件技术在一定程度上对小的灾难事件能实现本地容灾;对于大的灾难事件(如火灾、各类自然灾害),则能通过对原始数据进行一份或多份拷贝、经由网络将备份数据存储到异地存储中心,使其与原始数据在地理位置分离,从而保证在本地原始数据被破坏的情况下,能通过网络利用远程备份的数据来恢复原始数据、恢复业务,实现远程容灾。结合高校实际,我们试图通过以下措施来实现高校的 IT 灾备。

(1)在规划建设校园网时,通过铺设高速光纤构建校园网范围内的存储区域网络(SAN)环境,使校内各主要机房之间通过光纤实现高速链接,从而能够实现数据的高速传输和访问。

(2)选择合适性价比存储产品、搭建数据中心,经由已建立的高速存储区域网络(SAN)实现数据的集中存储和管理,实现本地数据容灾。

在国家鼓励自主创新技术的政策支持下,国内已经有不少企业早就在研究存储技术,并且现在市场上有了不少成熟的产品,他们大多采用基于市场上常见的 PC 硬件加上自己独立研发的存储管理软件来构建存储服务器平台,国内存储业的不断发展成熟,使存储产品在很大程度上实现了物美价廉。这对于有意进行灾备建设的高校来说就多了更多选择,购买大型存储设备建立数据中心不再是代价巨大和遥不可及的事情。

在存储技术上具体来讲,第一,数据的直接载体是硬盘,要实现容灾,就必须确保硬盘上数据的安全。一般的家用和办公电脑是不能实现硬盘数据容灾的,而如果采用建立数据中心来实现数据的集中存储的管理,那么在数据中心的专业存储设备上,都采用了 RAID 磁盘阵列技术来实现硬盘的数据冗余,这种技术能够在出现硬盘损坏的情况下、实现硬盘的热拔插和更换,已损坏硬盘上的数据在更换新硬盘后会通过其他硬盘上的数据冗余来自动实现数据恢复,而不会影响系统的正常运行。这样就在硬件级别上实现了本地的数据容灾。第二,通过 SAN 网络很容易把新的存储设备增加到数据中心来,能够实现存储容量的动态扩展。第三,在数据中心,能够实现数据的分级、分区存储,通过使用不同性能的存储系统和存储介质,达成业务数据和资源数据的分离,实现各类数据的分类存储和保护。

此外通过各存储厂商附带提供的专用存储软件,还能够在数据中心实现单一存储设备上的多重数据复制备份、双机互备等,进一步在本地加强数据安全性。从单次投入上来说,

可能建立数据中心、实现数据集中存储还是需要付出更多额外的成本。但是相对之前分散的各存储单元价格的总和，以及因此带来的管理、维护费用，从长远来看，它应该是更经济的选择。更何况这种方式大大提高了数据安全性和管理的方便性。

（3）选择"云计算"，实现程远数据灾备。"云计算""云存储"对于大多数非专业人士来说，可能还是一个比较陌生的概念。它被称为是信息技术的第三次革命，是信息技术将来的发展方向。简单说，所谓的"云计算"就是将包括存储空间等的各种服务通过网络以服务的形式提供给需求者，客户无须自己购置存储设备，只需要按需购买存储空间的服务，通过网络将数据传输至"云计算"的存储中心（IDC），实现数据的远程存储和灾备。目前国内的Power-All 和国际的 IBM、Amazon、Google 等公司都已开始提供这种"云计算"服务。"云就是网络，只要你能够访问网络并且有一台连接到网络的设备，你就不需要大型硬件，而能够在任何时间、从任何地点访问你的数据。"你的成本将大大下降，你只要支付你需要的存储空间的费用，它们是极低廉的。你的数据保存在一个地方，是重重加密和安全的。你的数据、你的应用程序和你的服务器在你需要的时候都可以使用，没有基础设施或者资本开支的限制，你只需购买你所需要的服务。这样一旦本地数据中心因大的灾难事件而不能运转，高校管理的核心、关键数据还能够通过互联网从异地的"云"存储中心恢复过来，不至因为数据无法恢复而影响高校的正常运转。

（七）加强系统使用培训和教育引导工作

教学管理信息化建设基本完成后，首先需要系统建设和管理人员对高校教学管理人员和师生进行系统使用培训，让高校师生真正认识到教学管理信息化的意义和系统建设的初衷，了解和掌握已建成的教学管理信息系统的功能，让他们完全掌握和自己相关的系统操作，充分利用信息系统的各种功能更好地为自己的工作、学习服务。用户充分使用起来了，系统才能真正发挥作用，也才能达到教学管理信息化建设期望的效果。此后，在每年新生入学和新入职的教职员工时都应该进行相应的培训工作。新生培训形式可以是学校集中进行，也可以是由各班辅导员分别进行；新进教职员工由于每年人数不会太多，则最好由学校教学管理部门统一进行培训。培训的最终目的不只是简单地教会他们如何使用，而是要充分意识到规范化的信息化教学管理的重要性，在教与学的过程中充分利用信息化建设的成果。

（八）完善教学管理制度

良好环境的营造，还应该有赖于完整制度体系来规范和保障。教学管理制度是根据国家颁布的教育法规，上级颁发的规定、决定、条例、指示等制定的教学规章制度和实施细则，是通过规章制度进行的常规管理，是维持正常的教学秩序的一种重要的教育手段，是教育方针和教育制度的反映和组成部分。

高校教学管理制度可分为三类：一是教学基本文件管理制度，包括教学计划、教学大纲、学期进程计划、教学日历、课程表、学期教学总结等；二是必要的教学工作制度，包括学籍管理、成绩考核管理、教室管理/实验室管理、排课与调课、教学档案管理制度以及教师和教学管理人员岗位责任制和奖惩制度等；三是学生管理制度，如学生守则、实验守则、本科学生实习工作规定、学士学位审定管理办法等。

信息化条件下，高校教学管理制度除了进一步建立健全常规的教学管理制度外，还应完善建立的制度有：一是教学管理信息化的标准制度。教育部已在 2002 年 11 月出台了《教育管理信息化标准》，在 2003 年又制定了《〈教育管理信息化标准〉应用示范区建设实施办法(试行)》。有关这类专门涉及教学管理信息化的标准制度，以后还应该进一步多加强建立，并且应该和国际接轨。因为高校的教学管理信息要在国内外进行交流，就要制定相关的标准制度，保证数据的规范化和可共享性。二是有关高校自身的信息化建设和管理的制度(例如，《江西师范大学学分制教学信息管理办法》)。为了推进学校的教学管理信息化建设，除了要加强校园网建设和管理信息系统软件的建设，还应制定相应的管理制度，比如系统的组织机构与职责，信息安全管理，档案管理和数据备份规程等。要重视教师和教学管理人员在应用信息技术进行管理过程中的作用，制定教师和教学管理人员信息技能的培训制度，让有经验的教师与计算机技术人员共同组成培训小组，为教师和教学管理人员提供操作、技能等问题方面的培训和指导，并把教师和教学管理人员信息技能水平作为其职称晋升的指标之一。

二、重视教学管理队伍的信息化建设

(一)教学管理信息化对教学管理人员的要求

信息化的教学管理环境对教学管理队伍的综合素质提出了更高的要求。教学管理人员必须懂得现代教育教学思想，掌握管理科学和信息科学知识，具有管理经验和创新能力，熟练掌握基于网络技术的教学管理信息系统，成为技术型、复合型、创新型的高素质教学管理人员。只有提高教学管理人员对现代信息技术的应用能力，提高其获取、分析和处理信息的能力，才能适应高校教学管理信息化的发展需要。

教学管理水平是衡量一所学校整体水平的重要标志之一，而管理水平的高低有赖于管理队伍的整体。因此教学管理队伍建设必须加强，教学管理人员素质亟待提高。教学管理人除了要有上述的综合知识和能力，还应该要有强烈的服务意识，服务于教学、服务于教师、服务于学生，进而服务于高校的教育事业。

(二)建立高素质教学管理队伍的途径

有了好的信息化管理条件，并不意味着教学管理质量就一定会提高。因为所谓"管理"，就是在特定的环境下，对组织所拥有的资源进行有效地计划、组织、领导和控制，以便达成既定的组织目标的过程。它归根结底是人的活动，是靠人来组织和实施的，管理活动的主体是人，所以关键还要重视教学管理队伍的建设。教学管理人员是教学管理活动的主体，从学生注册入学到毕业生管理，从教学计划制订到课程安排，从组织学生选课到组织考试、统计成绩，等等，每一个环节都有教学管理人员的参与。因此教学管理人员及其整个队伍的素质高低，很大程度上就决定了教学管理信息化建设的效果。

教育部原副部长周远清曾指出："教学管理队伍亟待加强。教学管理并不仅仅是一般的行政管理，而是兼有学术和行政管理双重职能的一门科学，是一门需要长期的学习和实践才能掌握的学问。没有一支过硬的教学管理队伍,就不可能有一流的教学水平和教学质量。"教学管理信息化建设在高校的推进,同时也要求必须建立起高素质的教学管理队伍以适应高校发展的需要。

首先,要科学规划教学管理队伍,优化队伍结构。包括:(1)优化队伍的年龄结构。要引进具有较高信息素养与信息能力的中青年人才,充实教学管理队伍,达到"老中青"三代相结合,发挥各个年龄层次管理者的优势和各自的积极作用,不同年龄的人在其体力、智力、能力和经验等方面得到很好的互补结合,形成良好的整体效应。(2)优化高校教学管理队伍的学科专业结构、职称结构、学历结构。对于教学管理人员来说,不同学科专业的人在一起有互补的作用,比如说,管理队伍中有一个学计算机的,同事就可以和他进行计算机知识方面的交流,整个队伍的计算机水平就会有提高。就职称结构和学历结构来说,要求他们的职称和学历形成一个梯队结构,高职称高学历的管理人员主要从事教学管理研究和高层决策,中层管理人员主要从事任务的分配、管理等,其他的管理人员主要从事事务性的工作,各司其职,达到梯队互补的效应。(3)教学管理队伍的个性结构组合也是一个很重要的问题,因为不同个性的人的合理组合与互补是形成良好合作气氛、提高办事效率的重要方法。

其次,要加强教学管理人员的素质建设。要着重培养提高教学管理人员的信息素养和相关综合知识能力,包括岗前培训,在职学习等方式,还要注意培养他们主动学习的意识和学习能力。要让教学管理人员树立"服务"意识,讲究工作效率,热心为师生服务。高校的目标是培养高质量的符合社会发展需要的合格人才,因此高校的管理活动,就应当是"服从于"和"服务于"这个目标的实现。还应鼓励教学管理人员应积极参与教学研究和教学改革,培养他们的科研能力,在管理上有创新思路和举措,从而能够实施更有效的管理。

最后,是要制定有效的激励措施和奖惩机制,提高教学管理人员的积极性和主动性。做到赏罚分明,避免出现人浮于事、拖沓懒散、效率低下、不负责任的情况和局面。

三、实行"人性化"的教学信息化管理

现代企业管理实践证明,人性化的管理模式已经越来越显示出其必要性和优越性,且在 21 世纪企业管理中显得尤为关键,同时也正被司法、交通、服务等领域采用。在教育领域,人们也开始意识到人性化管理的重要性。在强调以人为本的管理理论后,管理者重新把目光转向自我,转向对什么是人、什么是人性等问题的思考。人们逐渐认识到,人是有感情、有自觉意识的主体。人的需要的满足、人的自由发展和人性的完美实现才是人类活动的出发点和归宿。因此,过去那种把人"物化"、忽视人的多层次需求的管制型管理方式,迫切需要进行根本性变革。建立一种信任和谐的管理体制,有利于发挥人的自主性和创造性,有利于自我价值的实现。如今,越来越多的企业开始实行人性化,比如微软的"职业阶梯"管理、索尼的"大家庭"管理、玛丽·凯的"一家人"管理等。很多美国公司在抛弃传统的 P&L 体系(即 profit"赢利"和 loss"亏损"),同时也在确立现代的 P&L 体系(即 people"人"和 love"爱"),并将其作为公司运作的中心理念。事实证明,与企业实际情况相适应的人性化管理对提高管理效率、增强企业持续发展的能力有着显著作用。

在教育领域中,人性化管理逐渐为学者和社会所认同。教学管理的对象是人,教学管理人性化就是指在教学管理中用人性化的理念来确定教学管理方式及管理手段,以人为中心,充分尊重人、理解人、关心人,把调动人的积极性这个目标转换为通过管理塑造一种环境,激励和启迪人们自觉为实现学校目标和个人价值目标的统一而奋斗。促进人的全面发展。学校在制定教学管理规章制度和实施教学管理的过程中,应充分考虑到教师和学生自身所具有的人的本质属性,尊重教师和学生个体,尊重教育规律,能够满足教师、学生的需要,尊重学生、教师的感情和权益,更多地考虑人性关怀,更多地融入人的精神和人的创造性。教育管理活动应该以一种合乎人性的方式,并为了人的目的来进行。在强调生存权、发展权、人格权的 21 世纪,人性化管理是现代大学教学管理的必然选择。

具体到教学管理信息化建设来说,信息化建设的最终成果——教学管理信息系统的使用者不仅仅是教学管理人员,还有全校的广大教师和学生,只有得到他们的积极配合,信息化管理工作才能有效进行。而在信息系统建设和推广应用的过程中,不可避免地需要更新一些原有的操作过程和方法,一些教师和学生在使用过程中往往因为不适应而采取不配合的态度,影响到整体的教学管理工作。为此,应该从人性化管理的角度出发,加强宣传和信息反馈的力度,让广大师生熟悉系统的操作规程,及时了解他们在使用过程中遇到的问题及提出意见和建议,赢得广大师生对教学管理工作的支持;同时,教学管理人员必须熟悉面向教师和学生的操作规程,以便教师和学生在使用系统遇到困难和问题时,能及时给予解释,帮助其解决问题;应站在教师、学生等使用者的角度上,对出现的问题进行分析、解决,及时对系统加以改进和完善,提高系统的实用性和易用性。这样才有利于信息化建设进程的推进。

四、建设"文化"的信息化校园

所谓校园文化,就是校园人的文化。可将之理解为:校园人在与校园世界和校园外部环境的互动之中,形成的特定的校园生存方式,以及在这种互动之中,校园人所具有的特定的价值观、情感表达和信仰。校园文化是学校精神文明建设的重要内容,是学校教育的重要组成部分。校园文化建设具有教育导向功能、创新激励功能和引导学生自我成才的功能。早在 1931 年,清华大学校长梅贻琦先生上任之初就提出过一个对中国大学影响深远的理念:"大学者,非谓有大楼之谓也,有大师之谓也"。苏霍姆林斯基在其名著《帕夫雷什中学》中也告诉人们:我们在努力做到使学校的墙壁也说话。强调的都是校园文化的作用,希望达到"蓬生麻中不扶自直""入芝兰之室久而自芳"的教育效果。——"大学,有大学文化之谓也"。可见高校校园文化是高等教育不可或缺的有机组成环节。先进的校园文化建设成为一所学校发展和进步的体现,能直接推进办学效益的提高。

随着信息技术在 20 世纪 90 年代中后期的飞速发展,社会的信息化进程进入了高速发展阶段。在这种潮流下,信息技术特别是互联网技术也已经影响到了高校校园人生活的方方面面,校园人开始体味信息化所带来的数字化生活,正如我们原来传统的教学管理现在都已实现信息化一样。当信息化发展到这种程度,我们就必须考虑一个新的问题:这一切的变化赋予了校园文化怎样的意义? 于是,对信息化对校园文化冲击的讨论构成了校园文化的一个新的主题。无疑信息化已经成为当代校园文化的一个有机组成部分。

从现有的情况来看,信息化对校园文化的影响可以概括为两个方面:一个是从技术的角度来看,信息化已经使校园人的生活渐渐基于信息化的网络平台,这将使校园人的生活方式和行为特征等方面发生诸多变化。比如说现在高校老师排课、学生选课都通过教学管理信息系统而不是手工操作;学生向老师交作业越来越多采用电子稿形式,和老师、同学讨论问题也更多通过网络进行;等等。另一个角度是从校园人本身来看,信息化的过程也影响了校园人的内部心灵、价值观念以及外部行为方式。比如教学论坛为校园人充分展现其丰富的思想和内心世界提供了更多的可能;信息化背景下学分制教学管理改革的推行,使得同学之间在一起当面学习交流的机会相对减少,传统的班集体概念被淡化,等等。

那么究竟该如何面对信息化对校园文化的冲击呢? 有学者在阐述网络化与人类社会文化的关系时,曾经提出"网人共生"的概念:人类应该正确看待和处理"网与人"的关系问题,并在此基础之上去开启人类未来生存方式的前景。秉持一种"共生"的理想和实践,或许将是人类的一种较为合理而明智的选择。在未来的世界里,在网人共生中真正建立起一个人性化的网络环境,并以此为基础来实现人类未来生存方式的光明前景。网人合一,应当成为网络社会中的最崇高的价值和理想。

正如那位学者所期待的那种"网人共生",我们也希望在越来越信息化的高校校园里,校园人一方面能够很好地适应信息技术给生活所带来的一步步改变,优游于信息技术所创造的新的校园生活环境,成为一个"新校园人",成为一个"信息校园人";另一方面,校园人也能够很好地解决信息化可能会带来的一系列并不那么积极的影响,在越来越信息化的生活中,赋予信息化以更为积极的文化含义,使信息化和校园人的文化和谐地共生发展,从而在信息化校园的平台之上,开创一种新的校园文化格局,新的校园文化气象,让校园人能在信息化的校园中度过更加美好的校园人生。切莫让信息化建设成为高校校园人际交流日渐减少、人际关系逐渐冷漠的始因,我们不希望高校校园只是由冰冷大楼和网络世界搭建起来的"文化荒漠"。

最后,让笔用几位学者散文般的宣言来表达同样的理念:"我们希望在校园的数字海洋的上空,还会漂流着一朵朵轻灵的云彩,这朵朵云彩,便是校园文化的蒸发与集聚。"

参 考 文 献

[1] 张达明,陈世瑛,韩维仙,等.迈向21世纪高校教学管理[M].北京:中国国际广播出版社,1998.

[2] 周兴国,李子华.高校教学管理机制研究[M].合肥:安徽人民出版社,2008.

[3] 戚焕林,邱坤荣.高校教学管理基础[M].南京:东南大学出版社,1990.

[4] 袁月梅.高校教学管理改革的理论与实践探索研究[D].北京:北京中医药大学,2004.

[5] 刘洋.高校教学管理信息化研究[D].南昌:江西师范大学,2009.

[6] 皋春.高校教学管理信息化研究[D].南京:南京工业大学,2013.

[7] 张雷.高校教学管理模式比较研究[D].长沙:湖南师范大学,2007.

[8] 许彦.我国高校教学管理改革研究[D].天津:天津大学,2007.

[9] 朱学海,曹玉蓉.新时期高校教学管理观念原则与方法[J].理工高教研究,2010,29(1):39-41,88.

[10] 张利云.关于新时期高校教学管理模式的探讨[J].高教学刊,2015(20):128-129.

[11] 肖志雄.新形势下高校教学管理现状与机制创新探讨[J].开封教育学院学报,2019,39(5):96-97.

[12] 佘远富,刘超,胡效亚.三全一化、四位一体:创新高校内部教学质量监控与评价长效机制[J].现代教育管理,2011(4):86-90.

[13] 李春阳.高校教学管理机制的改革创新[J].中学政治教学参考,2020(22):97.

[14] 朱汉清,李倩.高校教学管理机制和制度建设创新理念初探[J].中国高教研究,2006(1):87-88.

[15] 杜会永,刘天.高校学籍管理工作模式创新研究[J].学理论,2018(2):173-174.

[16] 欧文军.基于创新人才培养的高校教学管理研究[D].咸阳:西北农林科技大学,2009.